救国シンクタンク叢書

大国の
ハイブリッド
ストラグルⅡ

大国の衰退と台頭がもたらす地域紛争

救国シンクタンク［編］

総合教育出版

＊目次

序章

中川コージ（救国シンクタンク研究員）

本書は、令和五年二月十二日に星陵会館で開催されました、第6回救国シンクタンクフォーラム「大国のハイブリッドストラグル２０２３新春」（以下、本フォーラム）で語られた内容を、登壇者本人が一部加筆修正し、まとめたものです。

本フォーラムは、「ハイブリッドストラグル（多元蠢争）」な国際情勢を分析対象としています。令和四年一月二十二日に実施された「大国のハイブリッドストラグル２０２２新春」は、「ストラグル」という概念の定義を確立する作業の第一段階になりました。その直後、二月二十四日にロシアによるウクライナ軍事侵攻が始まり、リアルな戦闘が発生しましたが、「大国のハイブリッドストラグル２０２２新春」での議論は、当該軍事侵攻を予見したものとなりました。

ウクライナとロシアの戦いは、当該二カ国の当事者国がハイブリッドでリアルな戦闘をしながら、同時にこの地域に限定された事象に対して世界の大国がハイブリッドなストラグル状態で様々に関わっていることを明らかにしました。G７各国や、米国に挑戦する中国、グローバルサウスの盟主を目指すインドなど、大国それぞれが複雑に利害関係を絡ませることとなりました。ロシアによるウクライナ侵攻は、まさにハイブリッドでストラグルな大国の関係性をリアルに表出化させ、世界に印象付けることになったのではないでしょうか。

我々は、明確な二項対立であった米ソ冷戦時代を終え、その後の世界をけん引してきたＧ７による共通価値観とガバナンスのパワーが相対的に縮小する時代に直面しています。これから、Ｇ７の影響力が及びにくくなった地域において混沌とした価値観の国家グループや外交フレームが台頭していく中で、ハイブリッドストラグルという状態定義はますますリアリズムの度合いを増して、意味をもつことになるでしょう。

今回は登壇者として、実際に戦火に見舞われた欧州とウクライナの専門家、そして国際政治、米国、中国の領域における専門家五名が知見を共有しました。欧州について小野義典先生（城西大学現代政策学部准教授）、ウクライナについて岡部芳彦先生（神戸学院大学経済学部教授・神戸学院大学国際交流センター所長・ウクライナ大統領付属国家行政アカデミー・ニジニノヴゴロド国立言語大学名誉教授）、俯瞰した国際関係について篠田英朗先生（東京外国語大学大学院総合国際学研究院教授）をお招きし、救国シンクタンク研究員である渡瀬裕哉、中川コージがコラボいたしました。新「冷戦」概念のような旧来ロジックに依拠しないように細心の注意を払い、虚心坦懐に知性の化合を試みています。

改めまして、本フォーラムの肝となる「ハイブリッドストラグル（多元蠢争）」の概念について、序章にてラフな骨子を示しておきます。

―「戦争」、「冷戦」、「新冷戦」などとして用いられる日本語における「戦」の概念ではもはや表現することが困難になった、長期繰り返しゲームにおいての、敵や味方（もはや敵・味方というよりも、利害関係先として、全てのプレーヤー・パーティーを一般化すべきである）が明確ではない複数者関係（国家間関係）をストラグル（蠢争）と定義づける。

この状況は、各焦点国家（プレーヤー）が最大限に合理性を求めながらも、過去に比べて膨大な情報が集まるようになった各国家トップの政治意思決定について、それに関わるリーダーら人間の情報処理の限界から発生している（限界合理性）。

焦点国家の視点として、過去のように対立軸が一元的ではなくなって、多元価値での競争原理によってマネージ不能ともいえる数多の外部パートナーが認識される。例えば、米中の両大国による対立軸は統治価値観（≒イデオロギー）、軍事、マネー、産業、文化、言語等々のあらゆる領域に渡る。米ソ冷戦時のような「自由民主主義陣営」という一枚岩の多国連携がもはや成立し難いことは、統治価値観の軸のみが絶対的でないことの証左である。更に多元価値の中で、「昨日の敵は今日の友」という概念に代表される絶え間ないポジション転換が外部パートナーごとに動的に発生する。

こうした多元価値・多数の利害関係・動的ポジション転換が発生する「複雑性」のもとでの意思決定は、リーダーらトップマネージメントチーム内の人間の合理的な判断能力を超えるため、情報が豊富であっても極めて限定された合理性に基づくものになってしまう。

短期的には資源投下すべき対象の優先順位をつけることさえ困難である。その結果、焦点国家の動態は、「素早く動いているが、結果的には漸進ないしは殆ど止まっている状態」になる、外からはそのように見える、ことが散見される。長期的で大胆な投資だけが、殆ど唯一のゲーム盤面を変えていく力となるだろう。―

日本でも連日話題のホットな地域を個別に語った第一部、そして、各専門家の相互作用が新しい知見を生み出す「クロストークセッション」の第二部をお楽しみください。

第一部
今年の世界はどう変わるか

篠田英朗　（東京外国語大学大学院総合国際学研究院教授）
渡瀬裕哉　（一般社団法人救国シンクタンク理事・研究員）
中川コージ（一般社団法人救国シンクタンク研究員）
小野義典　（城西大学現代政策学部准教授）
岡部芳彦　（神戸学院大学経済学部教授・神戸学院大学国際交流センター所長・ウクライナ大統領付属国家行政アカデミー・ニジニノヴゴロド国立言語大学名誉教授）

※本内容は令和五（二〇二三）年二月十二日に開催した「大国のハイブリッドストラグル新春２０２３」にて行われた各登壇者による講演を基に文章化しました。そのため時事に関する情報は当時のものになります。

※本フォーラム内容を動画化したダイジェストをYouTubeでご視聴いただけます。
救国シンクタンク第６回フォーラム「大国のハイブリッドストラグル２０２３新春」
https://www.youtube.com/watch?v=5qj6PZ-2ebI&t=706s

二つの異なる地政学の視点から

篠田英朗

地政学における二つの大きな世界観の違い

「今年の世界はどう変わるのか」という大きなテーマに基づいて、十五分間の講演時間で考えを申し上げさせていただきます。今日の趣旨は、「大国のハイブリッドストラグル」という切り口で、大国間のせめぎ合いを大きな着目点として、国際政治の現在と未来、直近の国際政治の動向を考えてみることかなと理解しております。

十五分間で何を言うのかというと、一つのことを取り上げて、その説明をして終わりにするぐらいの時間ですので、副題に挙げている「地政学」について話そうと考えてやってまいりました。地政学の話が「ハイブリッドストラグル」の趣旨に合致していれば良いなと思っています。地政学の中にある世界観の争いについて、今から十五分間で述べさせていただきます。

地政学というのは、巷でいろいろな議論が行われており、昨今の書店では、大変多くの種類の地政学の本が出版されています。地政学に関する漫画本もあるほどで、地政学に対する共通理解があるのかなと思われがちです。ですが、実際の地政学の内容は多岐にわたります。そのため、地政学を摑みきれないと思っている方によく出会います。

今日お話ししたいポイントは地政学についてですが、地政学には一つの体系的なものがあって、それを紐解くことで世界の動きがわかるというイメージは違うと思われます。普通の学問でもそのようなことはないですよね。例えば、経済学がちょっとわかると経済の動きが全てわかって問題が解決するということがないのと同じです。やればやるほど難しい問題がわかってくるわけです。難しい問題がわかってくるときに、一つの体系の中でアクターAとアクターBが戦っているイメージのようなもの「ハイブリットストラグル」あるいは大国間の葛藤の描き方があるとします。

地政学と言われているものの中には、二つの大きな世界観の違いのようなものがあり、その世界観の違いは、世界をどう見るのかという、かなり根本的な始めの一歩の部分と言える、哲学的なところで違いがあります。この二つの大きな世界観の違いを両方ひっくるめて「地政学」と呼ばれています。

現在、大国間のせめぎ合いは激しくなってきていますが、今回のお話を通して「一体この人たちは何を考えて戦っているのだろうか?」ということを摑んで、多少は理解できるのではないかと思います。今回ご用意したいくつかの図は、情報をお伝えするよりも私の話を補足する役割を担うものです。

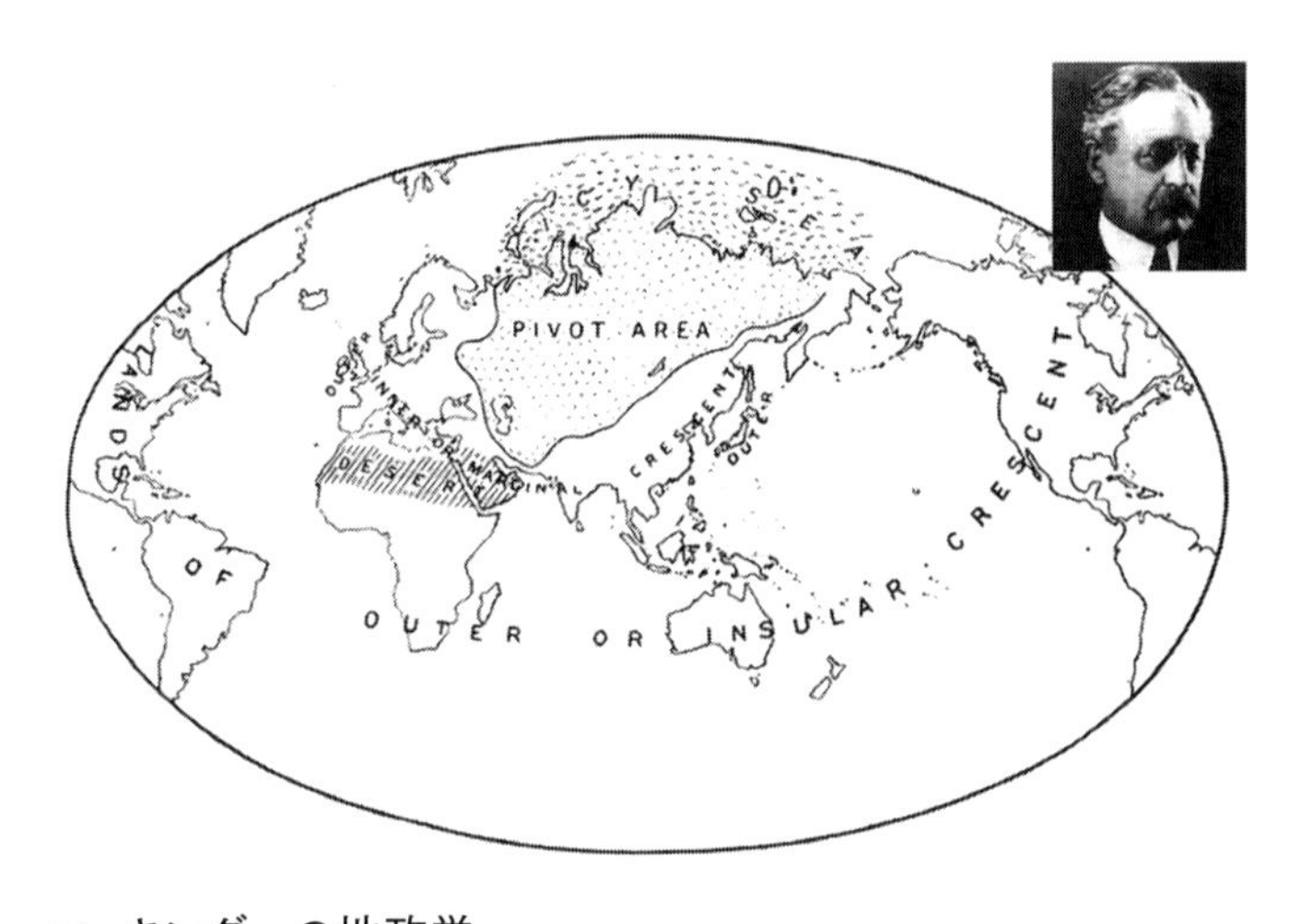

マッキンダーの地政学

こちらは非常に有名な地政学者ハルフォード・マッキンダーの地政学の図になります。ここからランド・パワーとシー・パワーという地政学の概念が生まれました。ほんの少し地政学の本を読めば出てくる概念ですので、皆さんも良くご存じの通りです。

この世の中には大陸と島があり、大陸の真ん中にある大陸国家はランド・パワー、島国はシー・パワーだと説明する簡明な世界観です。しかし、島国は大陸国家にはなれず、大陸国家は島国にはなれないという冷厳な、運命論的な命令とも言えます。

この世界観は極めて影響力が強く、非常に重要なものです。現在の日本の外交政策は、

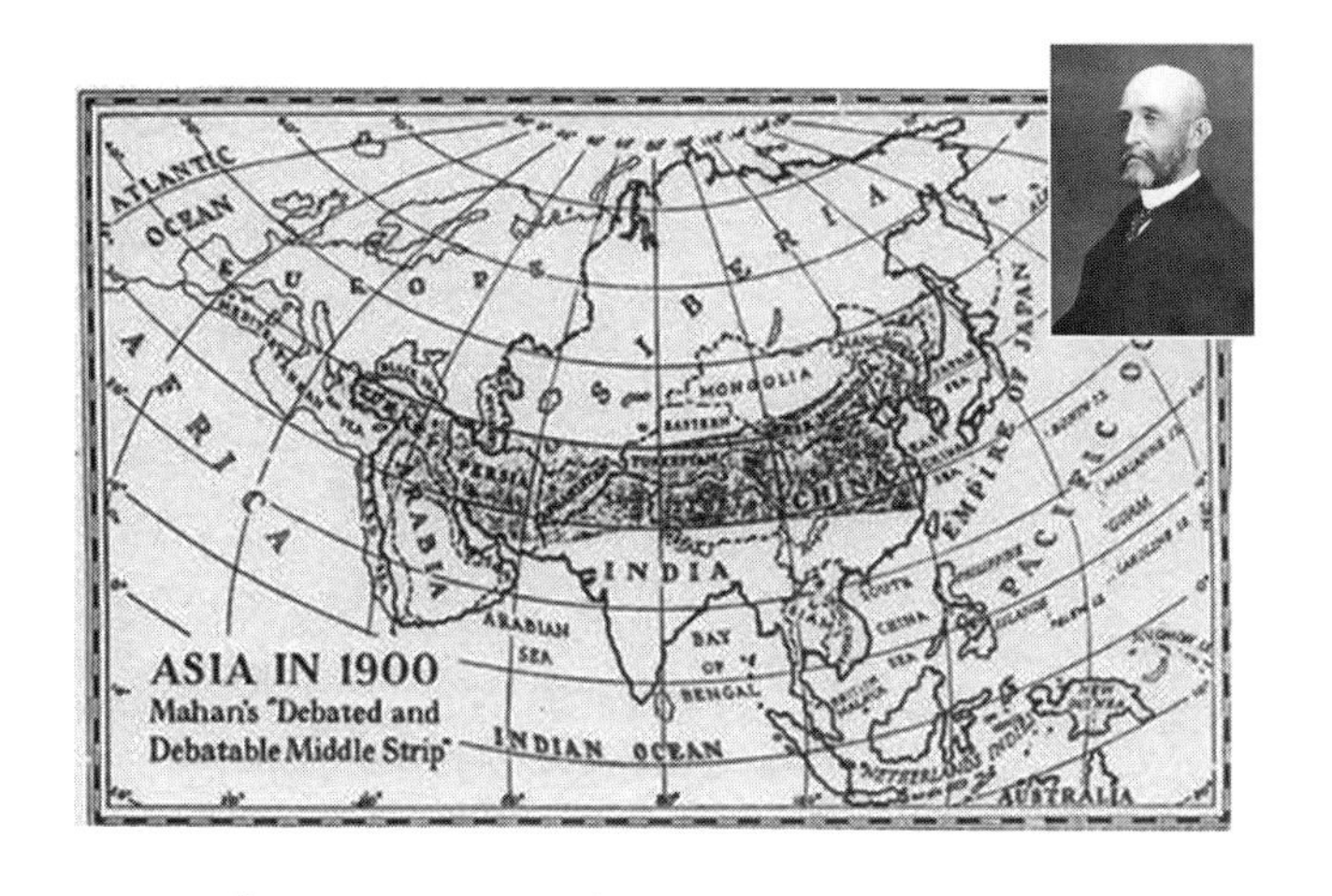

マハンの「シー・パワー」論

マッキンダーの地政学理論に沿っています。日米同盟体制、島国連合を基軸にして、島国であるアメリカが持っている同盟体制のネットワークを全て友好国と見なして、外交安全保障政策の基軸にしています。マッキンダー理論を応用して外交政策を取っているのが、我々日本の立ち位置であり、それだけマッキンダー理論が重要になります。

アメリカでは、アルフレッド・セイヤー・マハンという人物が「シー・パワー」という概念を提唱していました。

そして、米ソ冷戦が始まったころには、イギリス人のマッキンダー理論を修正・発展させて、ニコラス・スパイクマンという人が「リムランド」という概念を発明しました。

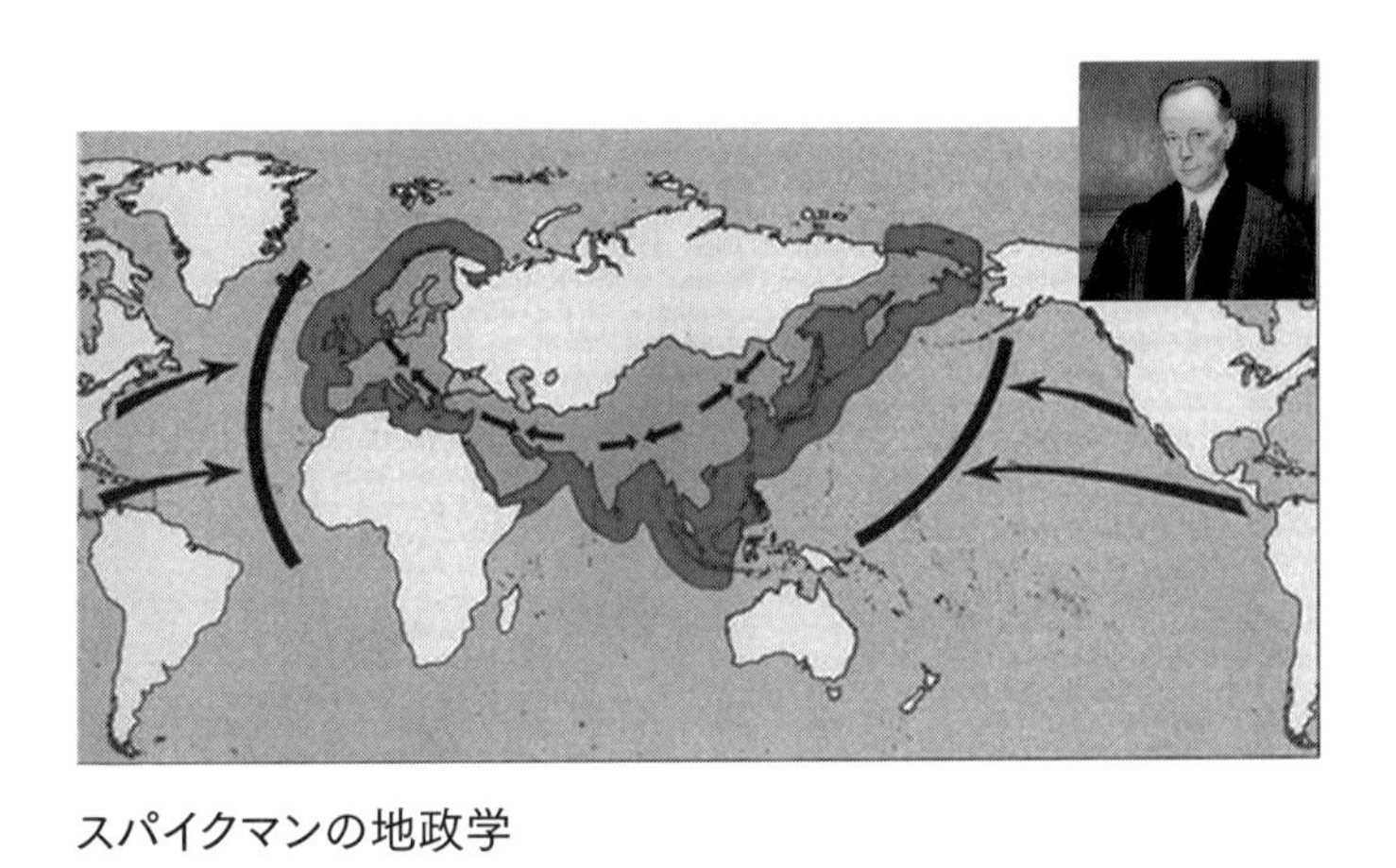

スパイクマンの地政学

「Bridgehead」「橋頭保」と呼んでいたユーラシア大陸の外周部の重要地点を全て一つのゾーンとして考えると、特定の国がこのゾーンを支配してしまうと大陸の支配が完了します。すると、大陸全域が覇権国の手に落ちて海洋国家の活動が著しく制限されることがないように、海洋国家は大陸へのアクセスポイントを確保するため、いろいろと大陸国家を牽制する「封じ込め政策」を採用しなければいけない。ということを綺麗に説明する能力を発揮したのが、スパイクマンの理論です。冷戦時代にも当てはまる理論となります。

マッキンダーとスパイクマンは異なる人物ですが、基本的には同じ英米系地政学の系譜に属しています。英米系地政学の基本は、「世の中には大陸国家と海洋国家があり、そのせめぎ合いによって大き

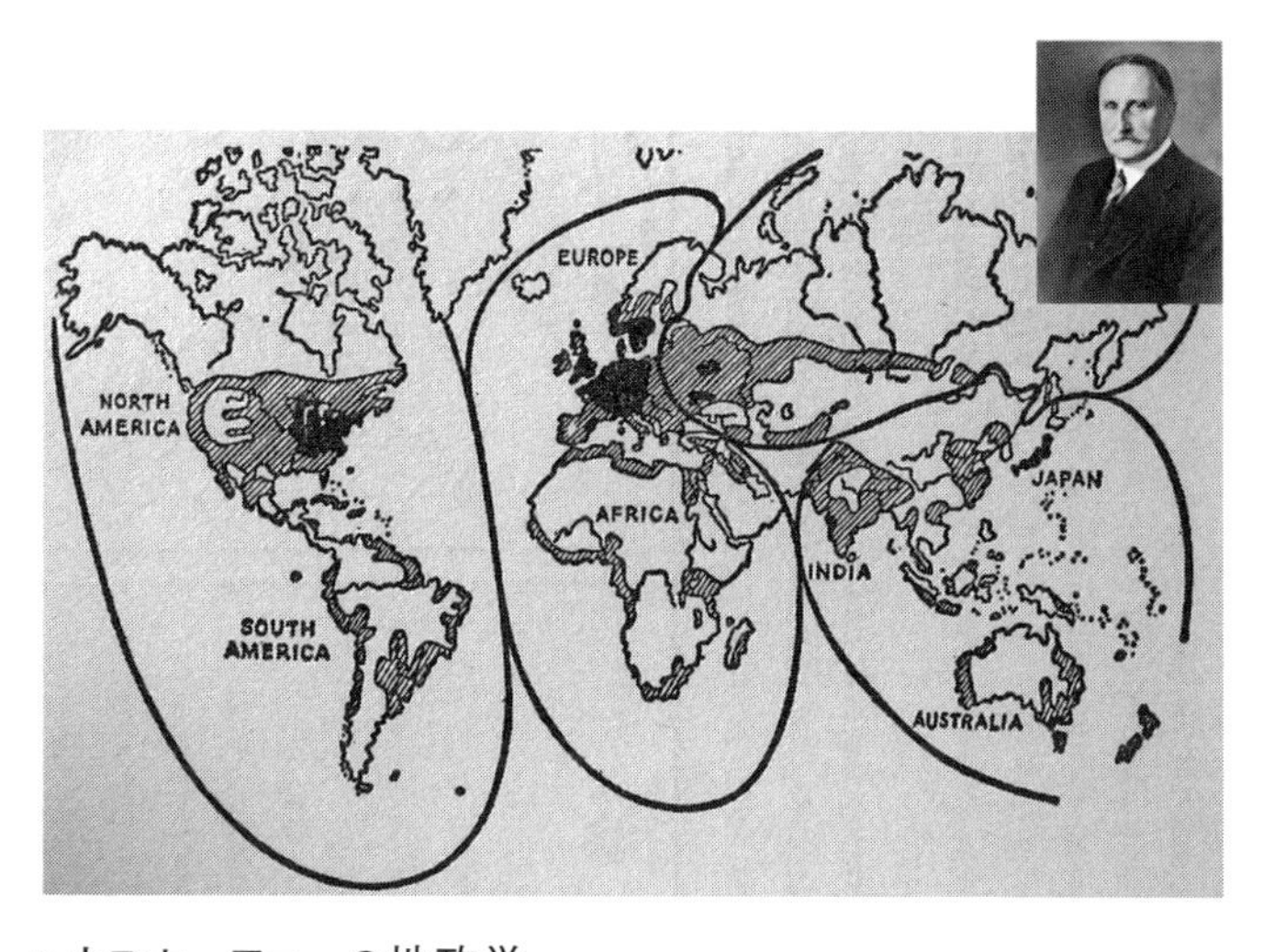

ハウスホーファーの地政学

な国際政治の動向が決定されていき、弱みを見せた方がやられる」という二元論的な世界観に裏付けされた考え方になります。

それに対して、第二次世界大戦前に登場したカール・ハウスホーファーというドイツの地政学者の考え方は、まったく違う世界観となっています。この人物はゲオポリティク、地政学を愛用し、「私がやっていることはゲオポリティク（地政学）だ」と推奨しました。ハウスホーファーは、「おそらくマッキンダーも同じゲオポリティクをやっている」として、いろいろと論評をしていましたが、実際のマッキンダーはゲオポリティクに関心は無くて、自分は地理学者だと思っていました。マッキンダーは政治好きな地理学者です。マッキンダーはハウスホーファーの場外乱闘に巻き込まれた形になります。

ハウスホーファーの影響力はドイツに強く表れます。特に、世界を四つの権益に分けて考えるハウスホーファーの世界観は、ヨーロッパにおけるドイツを覇権国としたレーベンスラウム、「生存圏」という世界観につながりました。レーベンスラウムを確保することがドイツの生きる道であり、レーベンスラウムの確保を邪魔されるとドイツは生き残れないと考えられるようになりました。

他方、アメリカがモンロー・ドクトリンに基づき、西半球世界でやりたい放題するのであれば、「そちらはアメリカの生存圏であるから我々（ドイツ）は干渉をしない。日本が東アジアに大東亜共栄圏を築くのであれば、日独同盟を組んでソ連の膨張政策を両側から抑止しよう。そして、アメリカがユーラシア大陸に干渉するのを防ごう」という日独同盟推奨論にもつながっていきます。

この考え方のポイントは、世界を陸と海で分けるのではなく、権益によって分けるところです。ドイツ語の論文にも書かれていますが、アドルフ・ヒトラーはレーベンスラウムという概念に基づいた政策を次々と適用してきました。ちなみに、レーベンスラウムという概念は、カール・シュミットという有名な政治思想家の「グロース・ラウム」という概念と基本的には同じものです。

レーベンスラウムという概念は、実はヒトラーよりも前にハウスホーファーが使用した概念です。世界には自然と大国の影響圏が形成されるが、世界全体で単一の勢力圏とはならず、緩やかに四つぐらいの勢力圏が形成され、これが世界の自然な成り立ちである。この成り立ちを尊重し、勢力圏を尊重し合うことで世界は安定する。万が一にも他人の勢力圏に干渉をしない。自国も他国も共に勢力圏への干渉を行わなければ世界は安定するという考え方です。

アレクサンドル・ドゥーギン「ユーラシア主義」

この考え方に非常に近いのが現在のロシアです。例えば、ロシアの政治思想家のアレクサンドル・ドゥーギンなどが主張する「ユーラシア主義」があります。ロシアのプーチン大統領の思想を、かなりイデオロギー的に強い形で表現しているのではないかと言われているのがドゥーギンです。ドゥーギンの主張を図にするとこのようになります。

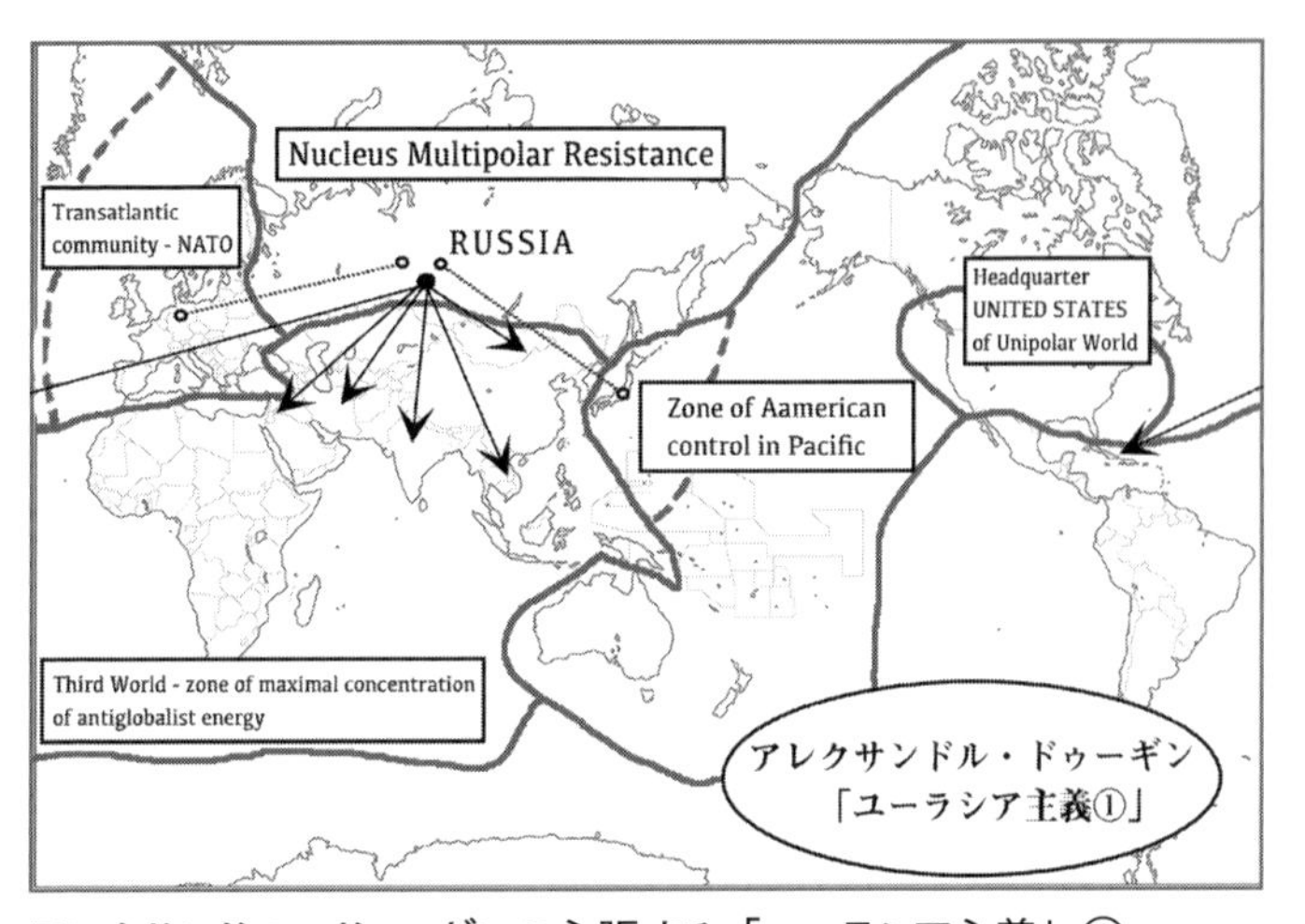

アレクサンドル・ドゥーギンの主張する「ユーラシア主義」①

「ユーラシア主義」を表す図①を見ると、ユーラシア大陸が膨張主義を示して世界征服を企んでいるような感じに見えますが、この考え方の基本は次の図②になります。

「世界はいくつかのゾーンに分かれているのが自然な姿である」という考え方が基本です。

この自然な姿を脅かしているのが、アメリカのグローバリズムとか普遍主義であり、これらの考え方がゾーンという概念を無視していろいろな場所に干渉をしてきている。その典型がＮＡＴＯの東方拡大であり、「ロシアにはロシアが生きる生存圏のようなものがあるのにひどいではないか。ＮＡＴＯはロシアの生存圏の

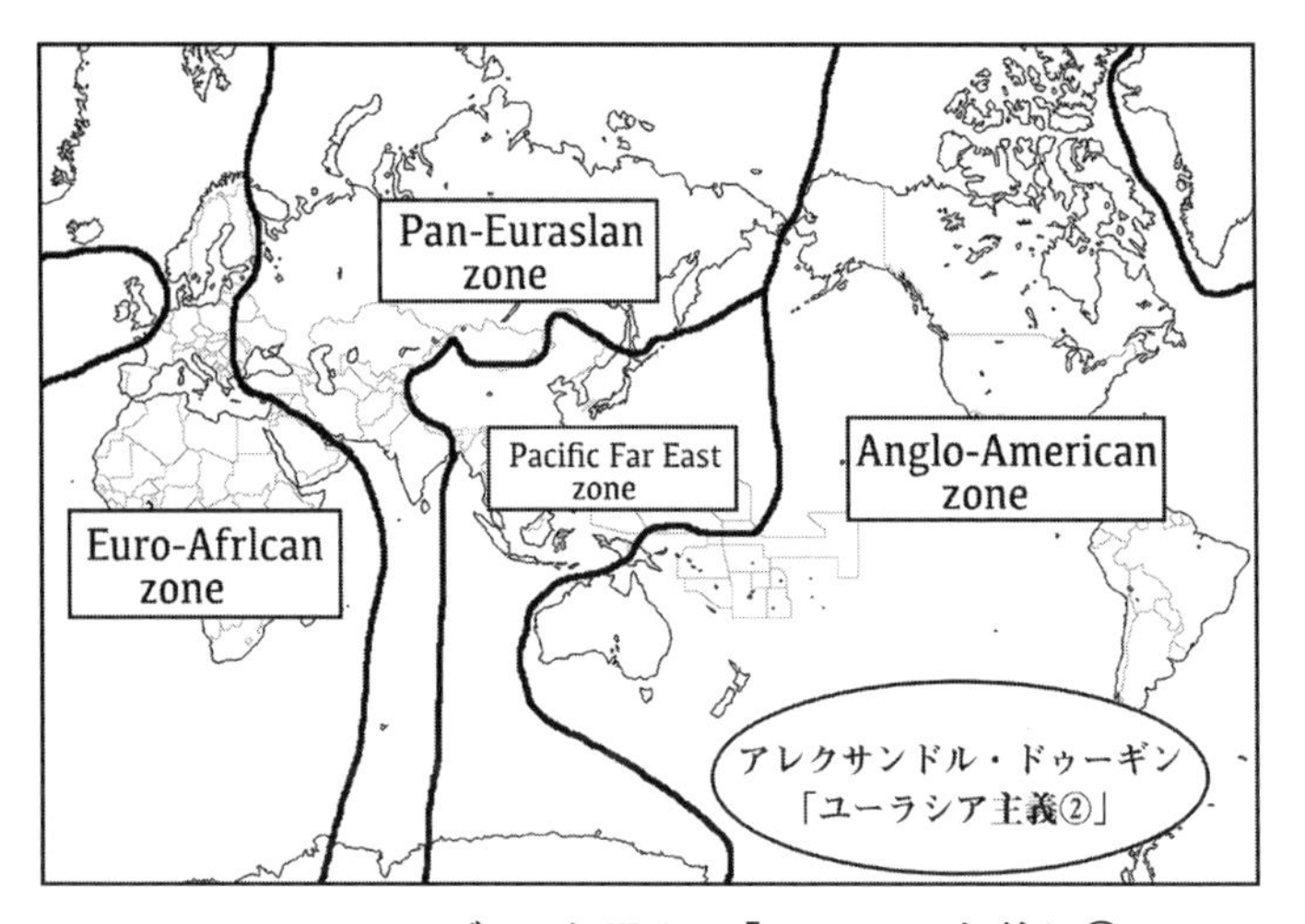

アレクサンドル・ドゥーギンの主張する「ユーラシア主義」②

外に行ってくれ」ということになり、ロシアは「NATOが干渉してくるのならば、こちらも拡張政策を取るぞ」という考えになるわけです。この考え方は基本的に反グローバル主義になります。

ロシアが反グローバル主義の拡張政策を、自信をもって実践している理由は、「世界はゾーンで分かれているのが最も自然な形であり、ゾーンを尊重することが世界を安定させる道筋である」と確信しているためです。この考え方では、ウクライナの存在とか主権国家、国連憲章というものは、アメリカ人が都合の良いように作り上げたフィクションであり、本質は勢力圏を維持して国際社会を安定させることに意味がある、ということになります。何を世界の自然な習慣とするのか、どうすれば世界は安定するのか、という始めの一歩と目標が根本的に違うため、いくら対話しても合意は得られません。では、話し合いができないのならばどうするのかというと、いろいろな力を行使していく必要があります。

例えば、ロシア側はNATOの東方拡大について、「NATOは力を背景にして、ロシアが弱いときに勢力圏を拡大してひどいじゃないか。ロシアの勢力圏を食いつぶしている」と主張している。一方でNATO側は、「大陸国家は力を回復すると拡張政策を行うに決まっている。力の真空状態を東欧に維持したままにすると拡張政策を誘発し、第二次世界大戦の繰り返しになってしまう。拡張政策が勢いをつけて止まらない場合は、海洋国家の権益も食いつぶされてしまう。だからこそ、東欧の力の真空地帯を無くすためにNATOは東方拡大するしかない」という考え方になるのです。NATO側の考え方は「ロシアへの抑止政策」です。NATO側は抑止政策として考えているけれども、反対側のロシアから見ると「NATOの勢力圏拡大」に見えるわけです。同じ現象でも、見方によって違う捉え方になることはよくありますが、東欧ではそのような事態が起こっています。

大国間のせめぎ合いが激しくなり、お互いの世界観がぶつかり合うような状況に陥ると、「世界はどうなるのか」というところに立ち戻り、かなり大きな葛藤、せめぎ合い、断絶が生じることになります。アメリカの力が圧倒的に優勢である場合には、ロシア側は唇を噛みしめて黙っている状態になります。ですが、現在のアメリカとロシアの相対的な力の格差は縮まってきていますので、ロシア側も発言力を持とうとしています。

中国の一帯一路政策と日本のインド太平洋戦略

本日の本題は中国だと思いますが時間も限られています。最後に私が言いたいことをお話しします。

中国とは何か。中国は大陸国家と言われていますが、マッキンダー理論の正確な言葉で言えば「両生類」と表現されます。中国は長い歴史の中で、万里の長城を築いて大陸の深部からの侵略を防いできました。また、海賊の攻撃にも対応するために海軍力も保有していました。ですので中国は、リムランドに位置している大国であり、陸と海の両面作戦を強いられる運命の国であるということです。中国は、「両生類」です。そこに中華帝国の独特の歴史理解の背景がかかわってきます。

この状況に対応をするために、現在の中国は権益拡張政策として「一帯一路」を進めて

中国の「一帯一路政策」

います。一帯一路政策は、ユーラシア大陸の真ん中から南下政策を取る考え方とは全く異なります。むしろ、リムランドと外周部分をネットワーク型でつなげて影響圏を広げていこうとする発想です。大陸系の地政学の考えに基づき、自国の勢力圏を一帯一路の路線に沿って拡大していると言えます。

一方で海洋国家は、ユーラシア大陸のリムランドが中国の一帯一路政策によって制圧されると大変なことになります。なぜかというと、ユーラシア大陸から完全に締め出された海洋国家は、島国の田

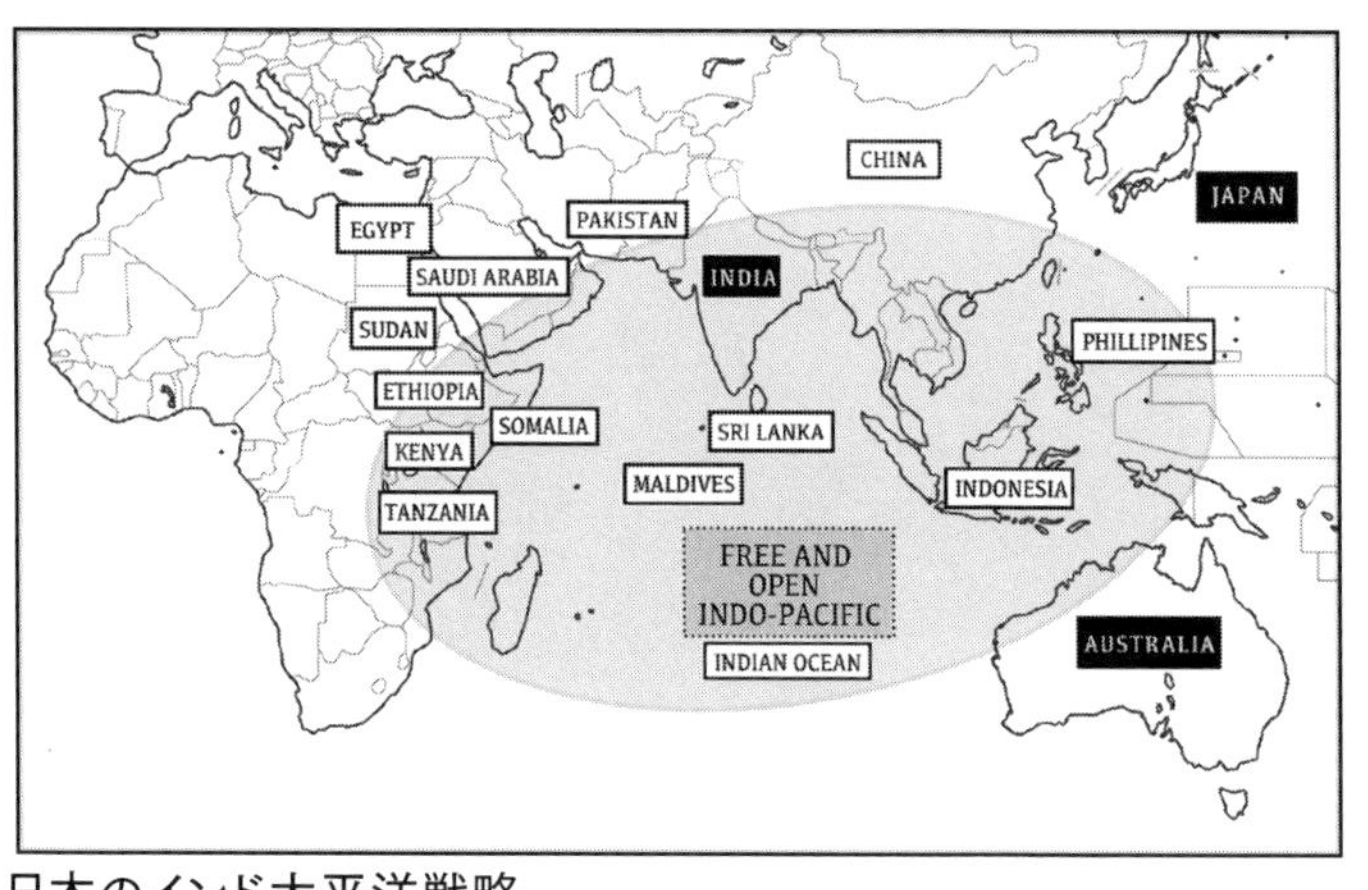

日本のインド太平洋戦略

舎者になってしまうためです。

現在、中国の一帯一路政策と日本のインド太平洋戦略は競合する形でせめぎ合っています。正面衝突を仕掛けている状況です。このような状況はロシアと中国の違いを考える上でも重要です。大陸系地政学と英米系地政学の違いという意味では、権益的な発想で陸と海のネットワーク型政策を取る勢力と、拡張政策に対する封じ込め政策を取る勢力のせめぎ合いがあり、世界の自然な姿や安定に向けた目標について意見の違う人たちの争いがあります。そのため、この問題については、かなり広範囲な議論が必要であることを非常に痛感してきています。

中国はどうなっていて、何を考えているか

中川コージ

チャイナの価値観とは

会場の皆さん、こんにちは。救国シンクタンク研究員の中川コージでございます。「大国のハイブリッドストラグル」と題したフォーラムでチャイナについて語るのは、二〇二二年一月二十二日に開催した「大国のハイブリッドストラグル２０２２新春」に引き続き二回目となります。

二回目となる今回もチャイナの価値観について、チャイナはどう思っているのかというお話をする機会になります。ですので、前回お話した内容となるべく重複しないようにと考えております。前回のフォーラムでお話した内容については、救国シンクタンク叢書『大国のハイブリッドストラグル～大国は自己の権益を拡張せんと蠢いている～』（総合教育出版、二〇二二年）にまとめられておりますので、そちらを参考にしていただければと思います。

まずはかいつまんで、チャイナ自体の大きな価値観をお話します。

日本や欧米では、「いわゆる偉大なる中華民族の復興という形でチャイナは覇権主義を唱えている」ということを大前提にした報道がよくなされています。ですが、前回のフォーラムでもお話をしましたが、チャイナとしては「覇権主義や拡張主義に基づいて行動をしているわけではなく、他国につぶされないように生き抜くための行動をしている」というのが彼らの主張です。

中国共産党には百年の歴史がありますが、その歴史において重要なのは、中国共産党の下に中華人民共和国という国家が存在するという構造です。党が上にあって、その下に国家があり、「党が何を考えているのか＝国家がどう動いているのか」という関係にあります。

中国共産党の歴史は百年と申しましたが、中華人民共和国の歴史が百年という意味ではありません。一九二一年に結成された中国共産党は第二次世界大戦後、国民党との国共内戦を経て、一九四九年十月一日に中華人民共和国を建国します。建国初期のチャイナは、自分たちは何をやろうとしているのかがわからない、というようなグダグダな状態でした。そんな状態でしたが、ソ連の支援を受けながら成長し、アメリカとも手を組むように動き、国際的な立場を得ていきます。

国際的な立場とは、国際連合における立場であり、チャイナは中国大陸に存在する政権は一つであり、台湾もチャイナの一部分であるという「一つの中国政策」を主張していきます。チャイナは国連を主体に世界的な自分たちの存在空間を高めてきました。

一九七八年末に打ち出された「改革開放政策」後のチャイナは経済力を高めていますが、歴史を振り返ると政治力を最初に高めて、続いて経済力を高めてきました。現在のチャイナは、アメリカの経済・軍事・価値観に対峙していくようなグローバルパワーを持つ存在になってきています。

「戦いません。勝つまでは」したたかなチャイナ

先ほどもお話したようにチャイナでは、中国共産党が上にあって、その下に国家が位置していますが、国家の下に軍（中国人民解放軍）が存在しているわけではありません。中国共産党の下に国家と軍があるという構造になっています。

習近平氏は中国共産党のトップ（総書記）であり、中華人民共和国のトップ（国家主席）であり、中国人民解放軍の最高軍事指導機関である中央軍事委員会のトップ（主席）となります。中央軍事委員会の軍事委員会連合作戦指揮センターにいるときの習近平氏の立場は、軍の司令官としてきているわけです。

日本でも「チャイナ側が台湾に関する何かしらのコミットメントをしました」「チャイナ側はこのような発言をしました」という報道がなされます。「習近平氏は台湾の軍事的な統一も辞さないと発言した」などと取り沙汰されることがあります。そのような場合は、往々にして、習近平氏が人民解放軍や武装警察などの軍事組織のトップとして発言したことが取り上げられています。習近平氏が軍のトップとして「軍事的な台湾の併合の可能性は残っている」という発言をした際に、日本や欧米では発言が切り取られて報じられて「習近平氏はこのような強気の発言をしている」と言われることが多いです。

一方で、習近平氏は国家のトップ（国家主席）として発言をする場合、あまり軍事的な発言をせずに、かなり抑制的に話しているところが特徴としてあります。立場によって発言を使い分けている様子を見ると、やはり軍人の前では「あなたたちのリーダーとして、台湾への軍事侵攻もあり得る」と話すのは当たり前であると言えます。何故なら、軍の人たちはそのために存在しているからです。

ですが、国家のトップとして外交の安定を考えると、軍事侵攻に関する発言を公でするのは決して国際社会にプラスにならない、と考えるのが習近平氏の立場としてあります。日本に伝わる習近平氏の情報は、国家のトップとしての発言か、軍のトップとしての発言なのかが混同されていて、かなり強気の発言をしていると思われがちです。実際に、党のトップや国家のトップとしての習近平氏の発言を見ると、抑制的に発信していることが見えると思います。そのため、台湾に関する強気な発言が見られたとしても、チャイナの国内向けにそうした準備を呼びかけていませんし、すぐに台湾に軍事侵攻をするような国内世論形成のための宣伝もしていません。

二〇二二年一月に開催した「ハイブリッドストラグル2022新春」から一年間が経過しましたが、その間にアメリカのナンシー・ペロシ下院議長が台湾に訪問し、大きな話題になりました。二〇二二年八月二日から三日にかけて訪台したペロシ氏の行動に対し、チャイナ側は八月四日から台湾近海で軍事演習を実施して、強気の報復に出たと報道されましたが、実はペロシ下院議長の訪台前、二〇二二年七月二十八日に米中首脳電話会談が行われています。この電話会談はアメリカ側の要請で実施したと公式情報として公表されています。いつもの首脳会談は一時間半ぐらいの会談時間ですが、この電話会談は二時間二十分と長い時間となっています。一方、新華社から発表されたステートメントは、いつもよりも短いものでした。つまり、米中首脳電話会談で語られたことは、表情報として公表されている内容よりも多いのだろうと推測できます。

また、アメリカ側から電話会談の要請があったということを考えると、ペロシ下院議長の訪台に合わせて、バイデン氏が米国ムーブが初手になる衝突エスカレーションリスクをマネージする目的をもって、両国のトップがどのように動くのかを話し合ったと思われます。ペロシ下院議長が台湾に滞在している八月二日から三日の間、中国人民解放軍に大きな動きはありませんでしたが、ペロシ下院議長が台湾を去った翌日、八月四日に台湾近海で海上封鎖にほぼ近い形で軍事演習が実施されました。チャイナ側はかなり強い行動をとったわけですが、事前に米中首脳電話会談で話し合われていたためか、アメリカ軍はチャイナ側の行動に対して大きな反応を示しませんでした。このような事実があるので、おそらく電話会談で、どこがレッドラインなのかが話し合われたばかりでなく、かなり具体的にお互いの行動シナリオを事前確認したのではないかと思っております。

このような事例から考えると、米中のトップ同士の間、米中の軍同士の間、それから米中の外交関係や経済界の間というのが、それぞれ別にあるとしても、米中の中で抑制メカニズムというものが、現在のところはそれなりに機能していると、ご理解いただけるかと思います。「米中がすぐに戦争になるのではないか」という言論もありますが、少なくともチャイナ側の発信を見れば、なるべく抑制しようというチャイナ側の態度が見えてきます。

二〇二二年一月開催の「大国のハイブリッドストラグル」でもお話しましたが、チャイナが倫理的に徳を積んで高いから抑制的であるわけではありません。あくまでも、巨大なアメリカというチャレンジをする相手と戦うのは、今ではないと思っているだけです。今のチャイナがアメリカと戦っても損になるわけです。私は何度も申し上げておりますが、チャイナは「戦いません。勝つまでは」という姿勢であり、戦う意思はあるのです。「勝つためには、今は戦わない」と言っているだけの話です。少なくとも二〇二〇年代におけるチャイナ側から戦いを仕掛けるという蓋然性は現時点では低いだろうと思います。

チャイナとロシアを比較して論じられることが二〇二二年から増えてきました。二〇二二年二月二十四日からロシアによるウクライナ侵攻が開始されて、「チャイナもロシアと同じように軍事攻撃を仕掛けてくるのではないか」という議論が出てきました。実際にチャイナとロシアの状況を比較してみるとどうなるのか。

ロシアはウクライナ侵攻後、経済的に没落をしていきながら安全保障コストは上昇していく状況です。一方でチャイナは、鈍化はしていますが経済成長の余地があります。そして、国家の相対的な力という意味において、ロシアとは置かれている立場が全然違うので、早く動くよりも遅く動いたほうが良いのがチャイナというプレイヤーです。ロシアによるウクライナ侵攻が発生しても、チャイナの動きは変化しませんでした。むしろ、ロシアのような行動に出るのは悪手であり、チャイナの「戦いません。勝つまでは」という姿勢が補強されたと言えるのが、ロシアによるウクライナ侵攻で得たチャイナ側の教訓だと思います。

チャイナの国内闘争において党規約は人事よりも重要

もう一つのお話は、最新のチャイナの動きについてです。二〇二二年十一月十四日に米中首脳会談がインドネシアにて行われました。この会談では、四つのナニナニ、というチャイナの主張が細かく語られています。

四つの義務と四つの共同というのがチャイナ側の一つの米中対立軸、対立するための一つの価値観としてあります。四つの義務とは、「お互いの主権を侵さないようにしましょう」という、チャイナがよく使う内政不干渉の原則というものを非常に強く表していま す。四つの共同とは、「二つの超大国として融和的に、平和的に世界を変えていきましょう」というG2構想のようなもので、「米中間で物事を決めていきましょう」というニュアンスが強いです。

もう一つ、二〇二二年に起きたビッグイベントとしては、二〇二二年十月二十三日、第二十期中央委員会第一回全体会議（一中全会）が開催され、形式的にも習近平指導部は第三期目に入りました。最高指導部を構成する党政治局常務委員に習近平派が多数選出されて、習近平指導部がより強固になったという報道がなされました。ここまで習一派が強くなることは、チャイナを分析している私も含めて識者一同にとってもサプライズ人事でした。ただし、党内人事の発表後に出てきた改訂党規約には、「二つの擁護」と「二つの確立」という、習近平氏のカリスマ性を高める用語が入るのではないかと言われていましたが「二つの確立」は入りませんでした。

最高指導部の人事面では、習近平派の人物が想定以上に選出され、逆に党規約に入ると思われた習氏のカリスマ性を高める文言が入らなかったので、党内上層部でねじれや駆け引きが生じたと言えます。

中国共産党における党規約というものは、例えば自由民主党の党規約とは全然違います。どうして党規約がそれほど重要なのかというと、普通選挙が行われていないためです。選挙を行わないということは、ある政治家が権力者としての正統性を得るためにはロジックを駆使して党内競争を戦わなければいけません。そのため、党規約に何が入るのかが、選挙結果のように重要になります。人事も確かに重要ですが、党規約に入る内容も、我々日本人が思っている数段上の重要性を持っていると認識いただければと思います。

党規約には、「二つの確立」という習近平氏を崇拝する文言が入ると言われていましたが入らず、個人崇拝の禁止は維持された形です。確かに人事面では習近平派が伸びたのですが、党規約に関しては思った以上に抑制的でありました。習近平政権第三期目に入り、習近平氏の独裁が強まったという言われ方もしますが、党規約の部分から考えると断言してしまうのは難しいです。もちろん、五年後、十年後と時間が進めば、習近平氏の独裁が強くなる可能性はあります。今後党規約が改訂されて独裁色が強まることはあり得るのですけど、少なくとも現時点において、そのシステムが完遂していると見るのは時期尚早ということになります。

習近平指導部第三期で習近平派が人事的に強くなり、党規約改定をしなかった状況から考えると、今後の党全体としての意思、党の長老や党の幹部としての意思は、しばらくは習近平氏が開発独裁的に汚職の温床であった軍を掌握したり、反腐敗を掲げて党内を掌握することを容認していると思われます。五年間から十年間かけてアメリカに対峙できる力をチャイナがつけるまで、習近平氏に頑張らせようという意思が働いていると思います。しかし、それでは長期的に習近平氏に権力が集中しすぎてしまうリスクがあります。再度集団指導体制に戻せるのかも不確実です。こうしたリスクはありますが、中国共産党総意としては習近平氏に中期的に仕切らせてみようという考えがあるのではないか、その辺りを我々は冷静に見ていかなければいけません。

我々、救国シンクタンクは申し上げていますけれども、相手側の情報の解像度を高くすることが大事です。解像度が低いと「習近平政権の独裁が強まった?」「台湾問題で紛糾する?」「米中戦争か?」という話になりがちです。ですから、チャイナに関する情報をアップデートし続けて、それからベースとなる価値観の情報を我々は分析して見ながら判断をしていけばいいのかなと思っております

チャイナの詳しい価値観とか、より大きい哲学的なところは、救国シンクタンク叢書『大国のハイブリッドストラグル～大国は自己の権益を拡張せんと蠢いている～』(総合教育出版、二〇二二年)をお読みいただければと思います。

米国はどうなっていて、何を考えているか

渡瀬裕哉

現在のアメリカ国内の政治状況

よろしくお願いします。救国シンクタンク研究員の渡瀬裕哉です。今から最近のアメリカはどうなっているのかをお話したいと思います。

二〇二二年十一月八日、アメリカでは中間選挙が行われました。中間選挙というのは、四年ごとに行われる大統領選挙の間の二年目に実施される選挙です。大統領の四年間の任期が半分過ぎたタイミングでの選挙ですので、大統領の仕事ぶりに対する通信簿が国民によって付けられる感じです。

二〇二二年の中間選挙の結果、上院の議席数では民主党五一議席、共和党四九議席となり、民主党が勝利しました。しかし、下院では民主党二一三議席に対して共和党二二二議席となり、民主党の議席数を上回りました。この中間選挙の結果を受けて二〇二三年二月七日、バイデン大統領は議会で一般教書演説を行いました。一般教書演説とは、今年一年間の内政と外交の施政方針を示す演説です。今回のフォーラムでは、民主党のバイデン大統領の一般教書演説が行われるまでの間に、何が起きたのかをお話したいと思います。

二〇二二年の中間選挙の前情報では、「共和党が凄く優勢だから民主党を倒すぞ。赤い波がくるぞ」と、共和党のシンボルカラーが赤色なので、そのように言われていました。ですが、実際の選挙結果を見てみると、上院では共和党は苦戦し、下院も少ししか勝てませんでした。「中間選挙の結果、赤い波は来ませんでした」という報道が各メディアでたくさん流れました。

しかし、このような報道は議席数の点から見た報道であり、現実には「赤い波」が来ていました。どういうことかと言うと、中間選挙における下院の総得票数に関しては、共和党が民主党をかなり上回っていました。Cook Political Report による集計結果（2022 National House Vote Tracker）では、民主党、五千百四十七万七千三百十三票、共和党、五千四百五十万六千百三十六票という数字となっています。この総得票数の結果を見ると、「民主党の上院の議席は、ぼちぼちの成果で、下院は共和党に少し取られたぐらいだが、総得票数で見ると共和党に四百万票ぐらい負けている。通常のケースであれば下院の議席差はかなりついていた」ということで、バイデン大統領としてはかなり焦っていると思われます。

また、中間選挙で上院と下院で議席数の違いが表れる理由もあります。上院は各州から二人の議員が選出されます。州ごとの選出になるため、田舎の方の保守的な州は共和党が強くて、逆に都会に近いリベラルな州は民主党が強い傾向にあります。例えば、共和党のドナルド・トランプ前大統領が応援している支持者がいたとしても、郊外のリベラル系の人たちが住んでいる州では、「トランプ前大統領が応援している候補者は大丈夫か？」という反応になってしまうのです。そのような現実問題があるため、上院で共和党は思っていたよりも勝てませんでした。

では、下院で共和党が勝てた理由は何かをお話しします。下院の選挙を見ると、アメリカの政治的な分断状況が物凄く進んでいることが見えてきます。アメリカでは十年に一回、選挙区の見直しが行われます。日本では、二〇二二年十二月に衆議院の小選挙区の数を「10増10減」する改正公職選挙法が成立しました。それと似たような形で、アメリカも下院の選挙区を十年に一回見直しています。この下院の選挙区の見直しが非常に党派的なものになっています。現時点で当選している議員は、自分が絶対に落選しないようにしながら、相手の議席を少しでも減らそうという動きを各州でします。そのような策略を共和党と民主党の両党が続けてきたため、現在の下院の選挙結果の九割ぐらいは選挙前から決まっている状況になっています。共和党と民主党で残り一割の議席を争って勝敗がつくという状況です。大きく議席数が変化することがない状態になってしまっています。そのため、下院の選挙では共和党が民主党よりも総得票数では四百万票ほど多かったにもかかわらず、議席数としては非常に拮抗しているのが、今のアメリカの政治的な状況です。

内向きになるアメリカ

本日は国際政治の話をする場であるのに、なぜ、アメリカの国内政治の話をしているのかというと、アメリカが民主主義国であるためです。民主主義国というのは、国内の選挙結果を受けて、国際政治における外交安全保障政策に関する意思決定を行います。最近のアメリカは特に党派性が激しくなっており、国際政治の場で様々な国がアメリカに振り回されています。

アメリカでは二〇二二年十一月に中間選挙が実施されて、二〇二三年二月にバイデン大統領が一般教書演説を行いました。昨年、二〇二二年三月一日の一般教書演説の冒頭はロシアに関する話をしていました。「ロシアは絶対に許さない。ウクライナは素晴らしい」みたいな演説をしていたのですが、今年の一般教書演説の冒頭では、「中間選挙が終わって共和党の皆さんもお疲れ様でした。民主党の皆さんも新しいメンツでお疲れ様でした」

みたいな国内の話から始めていきます。外交や安全保障の話は演説の後ろの方に持ってきています。ロシアの話と中国の話を後半に少ししたという状況です。

一般教書演説は、その年の政権の認識を表しています。つまり、二〇二三年のバイデン政権において、外交や安全保障の優先順位は後ろに回ったということです。二〇二三年のバイデン政権にとっては、内政の話が重要になってきているのです。これは、二〇二二年の中間選挙で民主党が負けているとバイデン大統領が認識しているためです。

そして、バイデン大統領にとって一番気がかりな話があります。民主党は予算を膨らませることが大好きな政党です。民主党のバイデン政権も予算をどんどん膨らませて、アメリカの債務も凄くたまってきています。アメリカの財政赤字は増え続けている状況ですが、政府が国債発行などで借金ができる債務残高の上限は法律で決められています。二〇二一年十二月に議会で政府の法定債務上限を約三十一兆四千億ドルに引き上げていたのですが、二〇二三年一月に上限に達してしまいました。二〇二三年六月五日までに債務上限の引き上げか、法定上限の適用停止で合意しなければ、アメリカは国債の新規発行ができなくなる債務不履行（デフォルト）に陥ってしまいます。

アメリカでは債務残高の上限に達すると、毎回、共和党と民主党でデフォルト間際の期日までチキンゲームをやっています。そして、共和党の中で小さな政府や規律ある財政を主張する保守強硬派と呼ばれる「フリーダム・コーカス（自由議連）」というグループがあるのですが、このグループがバイデン大統領の気がかりなポイントです。例えば、バイデン大統領が外交や安全保障に関する政策を進めたり、国内の政策の話を進めたいと言っても、共和党の中のフリーダム・コーカスに属する議員たちが「絶対にＮＯだ。財政赤字を出すことは許さない」と反対すると何も話が進まない状況となっています。アメリカの国内政治はこのような状況であり、二〇二二年の中間選挙で、下院の多数を共和党が獲得した意味になります。

アメリカ国内がこのような状況なので、バイデン大統領としては「今は海外の話をしてはいられない。国内の政治的な調整の方がメインだ」ということを、一般教書演説の内容に表しているのです。現在のアメリカは内向きになっていると言えます。当然、ロシアや中国の話は重要で、「ロシアや中国に対抗して戦わなければいけない」というコンセンサスは共和党と民主党の両党にあります。ですが、アメリカは二〇二四年の大統領選挙に向けて、これからの二年間は選挙シーズンに入ってきます。そのため、アメリカは内向きになっていくというのが、今置かれている状況かなと思います。

分断が進むアメリカ・日本が示す役割とは

今回のフォーラムでは国際政治のお話もします。バイデン大統領の一般教書演説の中から見て取れたことは、ロシアと中国には触れていますが、イランについて触れていないということです。これも共和党と民主党の党派的なことが影響していたりします。

二〇二二年の一般教書演説よりも、二〇二三年の一般教書演説の方が中国に関する話をしています。「中国と協力はするけれども、お痛をするなら許さない」という感じの、中国を牽制する内容を話しています。なぜバイデン大統領は「中国は明確な敵である」という強い発言ができないのかというと、民主党内のバイデン大統領の支持基盤の状況が影響してきています。二〇二三年一月十一日に「米国と中国共産党間の戦略的競争に関する特別委員会」というのが下院で設立されました。中間選挙の下院で共和党が勝利したため新たな委員会が立ち上がり、共和党議員のほぼ全員が設立に賛成しました。それに対して民主党の議員は六十五名も委員会の設立に反対しました。下院の民主党議員の三分の一近くが反対したのです。共和党も民主党も中国とは向き合わなければいけないと考えていますが、共和党は「中国と全面的に向き合う」と考え、民主党は「ある程度、中国と競争していかないといけない」という考えで、微妙にニュアンスが違うところがあります。その微妙な違いがバイデン大統領の一般教書演説の中にも反映されています。

民主主義の分断が今のアメリカ政治に対して影響してきているのが見て取れるという状況です。例えると「ジキルとハイド（二重人格の人を指す言葉）」のような話です。共和党と民主党という二つの顔のどちらで行くのか、アメリカは常に問われている状況です。昔は両党が妥協をして何かができることもありましたが、今のアメリカでは両党が妥協することが難しくなってきています。アメリカ国内で分裂が起きているということです。

二〇二三年のバイデン大統領の一般教書演説では、「共和党と民主党は団結できる」と何度も言っています。何度も言っているということは、団結できていないということです。そのように難しい状況で、アメリカの国内政治は分裂しており、バイデン政権は国内に集中しなければいけない状況に置かれています。

このようなアメリカの状況を見ながら、日本は東アジア地域、もしくはインド太平洋地域の中で、どのように振舞っていけばいいのか。日本側からアメリカに対してビジョンを示して、引っ張っていかないといけない状況です。かつては、故安倍晋三元首相が「自由で開かれたインド太平洋戦略」と提唱したように、そういう形にしていかなければいけないのではないかと思っています。

最後に蛇足になりますが、バイデン大統領が「中国と協力できるところは協力する」という話をしています。中国と協力できることは何かという話ですが、一つは気候変動問題です。もう一つは、世界的な食料不足問題。そして、もう一つが核不拡散に関する話です。この三つの話に関しては中国と協力する可能性が高いと思われます。だからといって、バイデン大統領が台湾問題で中国と協力するわけではありません。そのような話を煽る人もいますが。

そして、二〇二四年の大統領選挙では共和党が勝つのではないかと思っているのですが、二〇二四年の大統領選挙の動向を見据えて、日本として何を提案していくのかが凄く問われる状況にあると考えています。

「米国はどうなっていて、何を考えているか」というテーマでお話をしましたが、アメリカ国内が分裂してきている、という状況であると思っていただければと思います。

欧州はどうなっていて、何を考えているか

小野義典

「欧州」とは、そもそも、どこを指すのか?

城西大学現代政策学部の小野義典でございます。

本日はこのような貴重なお時間をいただきましてありがとうございました。「欧州はどうなっていて、何を考えているか」というテーマをいただいております。先にご登壇された、救国シンクタンクの中川コージ研究員と渡瀬裕哉研究員のお話とは一点、違っているところがあります。それは何かと言いますと、「欧州」とは、そもそも、どこを指すのか?ということです。中国やアメリカは一国で表せますが、「欧州とは、どこですか?」という点が議論の前提であり、出発点になります。

「欧州」と言ったときに、通常であればEU(欧州連合)の二十七カ国を指していると考えられますが、EU以外にも「欧州評議会」という国際機関があります。

欧州評議会には四十六カ国が加盟しております。図を見るとわかるように、二〇二二年三月十六日までロシアも加盟していました。「欧州評議会=欧州」と定義すると、「ロシアのカムチャツカ半島までが欧州です」という話になりかねません。

「では、NATOは欧州か?」と言われたら、アメリカやカナダも加盟していますので

「欧州」がどこを指すのか、については、種々定義がある。例えば、EU（欧州連合）、欧州評議会、NATO（北大西洋条約機構）

EU 加盟各国 :27 か国
アイルランド　イタリア　エストニア　オーストリア　オランダ　キプロス　ギリシャ　クロアチア　スウェーデン　スペイン　スロバキア　スロベニア　チェコ　デンマーク　ドイツ　ハンガリー　フィンランド　フランス　ブルガリア　ベルギー　ポーランド　ポルトガル　マルタ　ラトビア　リトアニア　ルーマニア　ルクセンブルク
（英国は 2020 年 1 月 31 日を以て EU を離脱）

欧州評議会加盟国：全46か国（加盟順）
フランス、イタリア、英国、ベルギー、オランダ、スウェーデン、デンマーク、ノルウェー、アイルランド、ルクセンブルク（以上原加盟国）、ギリシャ、トルコ（以上 1949 年）、アイスランド（1950 年）、ドイツ（1951 年）、オーストリア（1956 年）、キプロス（1961 年）、スイス（1963 年）、マルタ（1965 年）、ポルトガル（1976 年）、スペイン（1977 年）、リヒテンシュタイン（1978 年）、サンマリノ（1988 年）、フィンランド（1989 年）、ハンガリー（1990 年）、ポーランド（1991 年）、ブルガリア（1992 年）、エストニア、リトアニア、スロベニア、チェコ、スロバキア、ルーマニア（以上 1993 年）、アンドラ（1994 年）、ラトビア、モルドバ、アルバニア、ウクライナ、北マケドニア共和国（以上 1995 年）、クロアチア（1996 年）、ジョージア（1999 年）、アルメニア、アゼルバイジャン（以上 2001 年）、ボスニア・ヘルツェゴビナ（2002 年）、セルビア（2003 年）、モナコ（2004 年）、モンテネグロ（2007 年）
註：ロシアは 1996 年に加盟したが、2022 年 3 月 16 日を以て除名。
※オブザーバー国：5か国
　教皇庁（1970 年）、アメリカ合衆国（1995 年）、カナダ、日本（以上 1996 年）、メキシコ（1999 年）

NATO（北大西洋条約機構）加盟国：全30か国（加盟順）
アイスランド、アメリカ合衆国、イタリア、英国、オランダ、カナダ、デンマーク、ノルウェー、フランス、ベルギー、ポルトガル、ルクセンブルク（以上原加盟国）、ギリシャ、トルコ（以上1952年2月）、ドイツ（1955年5月）、スペイン（1982年5月）、チェコ、ハンガリー、ポーランド（以上1999年3月）、エストニア、スロバキア、スロベニア、ブルガリア、ラトビア、リトアニア、ルーマニア（以上2004年3月）、アルバニア、クロアチア（以上2009年4月）、モンテネグロ（2017年6月）北マケドニア（2020年3月）
※このうち、アメリカとカナダは欧州に含まれないことは自明。

「欧州」とは言えません。

「では、欧州とはどこですか？」という質問に対する答えは、「欧州と言っても、一概には言えない」ということになります。ここが議論の出発点になります。

ですが、言葉を定義付けして、どこが何をやっているのかを見ていかなければいけません。

そこで、今回の講演では、「欧州」または「ヨーロッパ」という際には、EUとEU加盟国の話をしていると考えていただければ、と思います。

ロシアによるウクライナ侵攻後の欧州政治情勢

今回のフォーラムで会場の皆様に配布をしたパンフレットの裏面をご覧ください。「フォーラム用重要地域メ

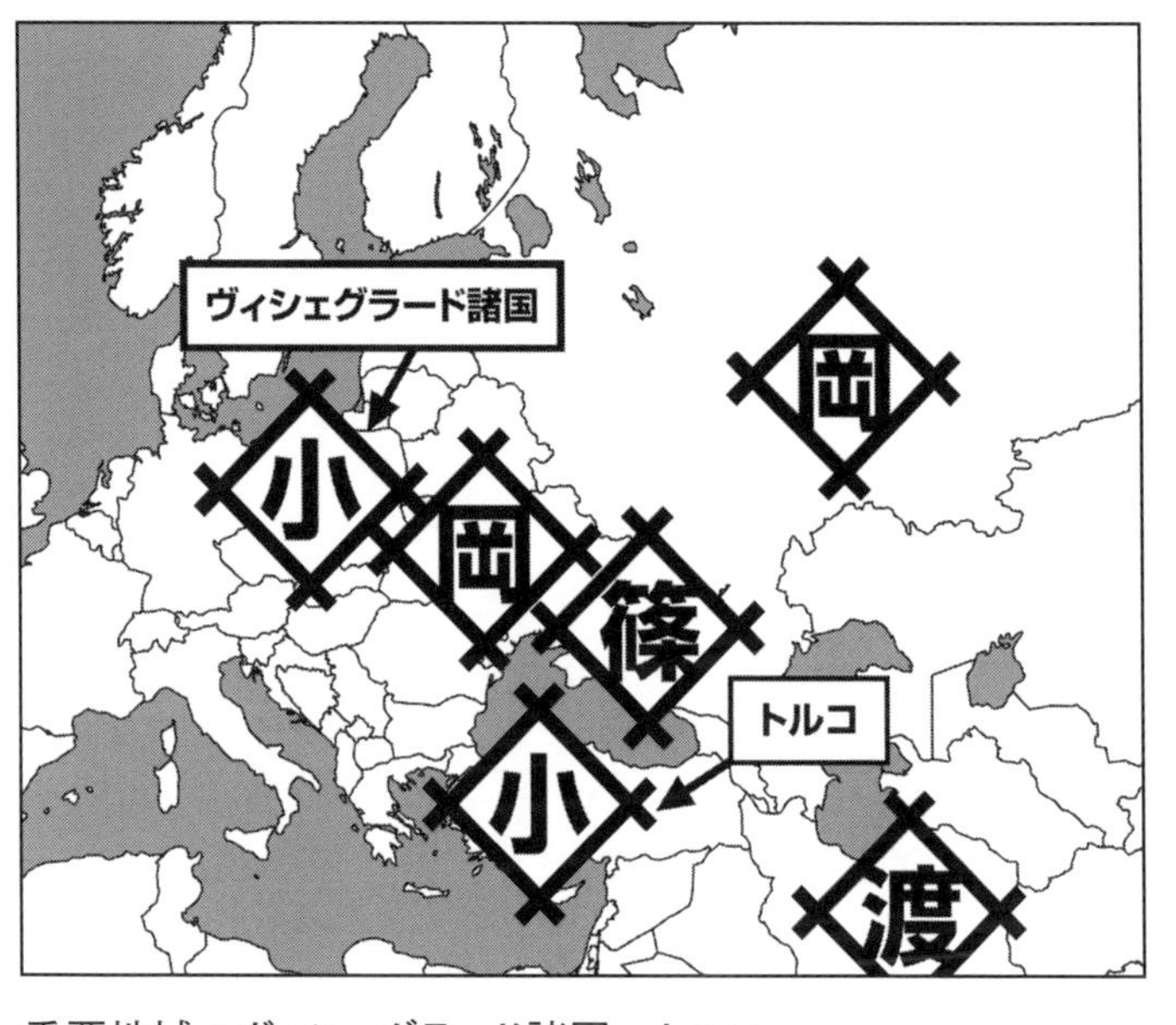

重要地域：ヴィシェグラード諸国・トルコ

モ」と書かれた世界地図に、「これからの世界を見る上で、どこが重要地域なのか」という観点で選んだ地域にマークを付けていきます。私がマークを付けたのは、ハンガリーを含めたセントラル・ヨーロッパの中の「ヴィシェグラード」と呼ばれている諸国と「トルコ」です。

もちろん、トルコはEU加盟国ではありませんが、重要地域に挙げた理由は第二部のクロストークの時間に説明させていただきます。

EUの中でも、ハンガリー、チェコ、スロバキア、ポーランドと

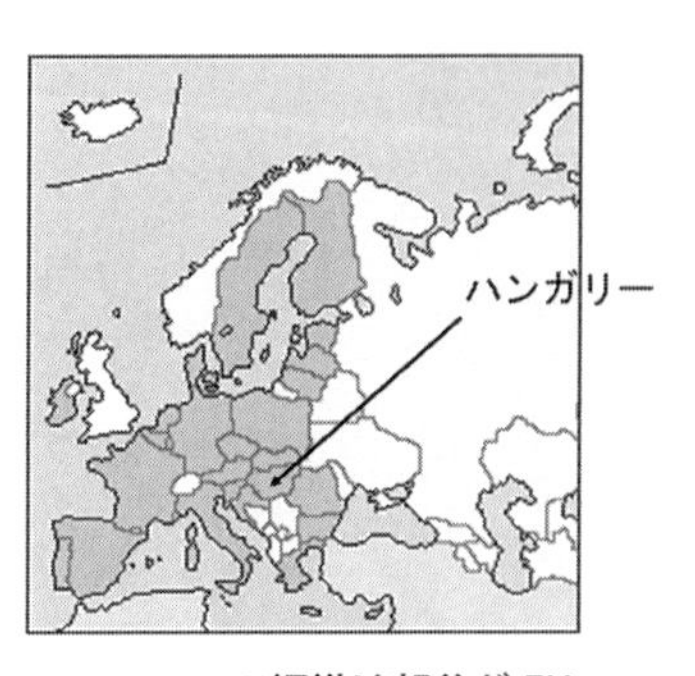

※網掛け部分がEU

ハンガリーの地図

いう四カ国が「ヴィシェグラード諸国」と言われています。今回の講演では、この辺りを注視していくことになります。ヴィシェグラード諸国の政治状況と、特に数値で表しやすい欧州のエネルギー事情について、お話をしようと思います。

まず最初に、ハンガリーはどこにあるのかをご説明します。こちらの右側の図は、ヨーロッパ全土が入っており、網掛け部分がEU加盟国です。このEU加盟国のセントラル・ヨーロッパ、中欧と言われているところにハンガリーという国があります。首都はブダペストです。

続いて、二〇二二年二月二十四日に開始されたロシアによるウクライナ侵攻から、約一年が経過した欧州における政治動向についてお話いたします。こちらの図では、欧州における一年間の選挙結果をいくつか取り上げています。

ロシアによるウクライナ侵攻以降の欧州に於ける政治動向

3月26日	マルタ代議員（一院制）議員総選挙。中道左派の与党が勝利
4月3日	ハンガリー国民議会（一院制）議員総選挙。中道右派の与党が大勝 ※同日、セルビアも大統領選挙と議会（一院制）議員総選挙。右派与党が勝利
4月24日	フランス大統領選挙。中道右派の現職、マクロン大統領が再選される
9月11日	スウェーデン議会（一院制）議員総選挙で野党の右派連合が勝利
10月1日	ラトビア議会（一院制）総選挙。中道右派が第一党。親露派が大敗。

二〇二二年四月三日、ハンガリー国民議会で議員総選挙がありました。中道右派の与党が大勝しています。ハンガリーの国会は一院制を採用しています。総選挙の結果、憲法改正も可能とする三分の二を上回る圧倒的多数の議席を与党が獲得しました。

実は、ハンガリーの議員総選挙と同日に、EUには加盟していないセルビアというハンガリーのお隣の国でも、大統領選挙と議員総選挙がありました。こちらも右派の与党が勝利しております。

それ以外にも、四月二十四日のフランス大統領選挙では、中道右派の現職であるエマニュエル・マクロン大統領が再選しています。九月十一日のスウェーデン議会の議員総選挙では、野党の右派連合が勝利したことが報じられました。

ロシアによるウクライナ侵攻後の欧州の政治動向は、どのようなことが見えるのか、というお話ですが、ハンガリーやセルビアという国々は、ロシアとの関係を重視していると言われています。しかし、親ロシアというワケではなく、ロシアからの経済支援やエネルギー供給があるために、ロシアとの関係を重視しています。一般的に報道されている事柄とは若干異なってきます。

はっきり申し上げますと、ハンガリーとセルビアはもともと共産主義国の歴史を持っています。そのため、一言で言うと「ロシア大嫌い。ドイツはもっと嫌い」ということです。バルト三国にラトビアという国があります。ラトビアはロシアのすぐ隣に位置していますので、今まさにロシアの脅威に面している状況です。二〇二二年十月一日に実施されたラトビア議会の総選挙の結果を見ますと、親ロシア派の政党は大敗しております。

そして、ロシアによるウクライナ侵攻後、日本もご多分にもれずに光熱費が高騰しておりますが、スウェーデン議会も野党の右派連合が選挙で勝利しました。選挙の争点の一つが光熱費高騰でした。高騰する光熱費の「減税」を訴えた、スウェーデン野党の右派連合が勝利となりました。

話は変わりまして、二〇二二年三月十九日、セルビアの首都ベオグラードから北部の都市ノビサドまでの区間を通るハンガリー・セルビア鉄道が開通しました。「ハンガリー・セルビア鉄道、ベオグラード＝ノビサド区間が開通」をYouTubeで検索いただくと開通式をご視聴いただけます。

※「ハンガリー・セルビア鉄道、ベオグラード＝ノビサド区間が開通」のYouTube動画の説明欄に書かれている内容を記載します。

「中国が高速鉄道化建設に協力するハンガリー・セルビア鉄道は19日、セルビアの首都ベオグラードから北部の都市ノビサドまでの区間が開通した。ノビサドで開かれた開通式にはセルビアのブチッチ大統領やブルナビッチ首相、ハンガリーのオルバン首相らが出席した。

ベオグラード中央駅を出発した1番列車には、ハンガリー、セルビア両国の指導者、セルビア政府と在セルビア中国大使館、鉄道建設企業の代表が乗り、ノビサド駅では地元住民の歓迎を受けた。

ブチッチ氏は開通式で建設関係者に感謝を表明。セルビアの高速鉄道は「中国とロシアの友人が建設した」と指摘し、高速鉄道はセルビアの未来を体現しており、セルビアは最も現代化された鉄道網を持つことになると述べた。

オルバン氏はセルビアに祝意を表し、両国の良好な二国間関係は両国の人々に恩恵をもたらすだろうと語った。

同鉄道の改造プロジェクトは中国・中東欧諸国協力を代表するプロジェクトであり、中国の鉄道技術や設備と、欧州連合（ＥＵ）の鉄道相互接続技術基準の結合でもある。同鉄道の総延長は約３５０キロで、ベオグラードとハンガリーの首都ブダペストを結ぶ。セルビア国内は１８３キロで、設計時速は２００キロとなる。

今回開通したベオグラード－ノビサド区間は約８０キロ。ベオグラード－スタラ・パゾバ区間は中国企業、スタラ・パゾバ－ノビサド区間はロシア企業がそれぞれ建設を請け負った。列車の最高時速は従来の４０～５０キロから２００キロに向上する。」

(動画のＵＲＬ　https://www.youtube.com/watch?v=ciNgYn6YdWg)

つまり「中国とロシアの友人が建設した」と書かれています。実際に中国からの借款が

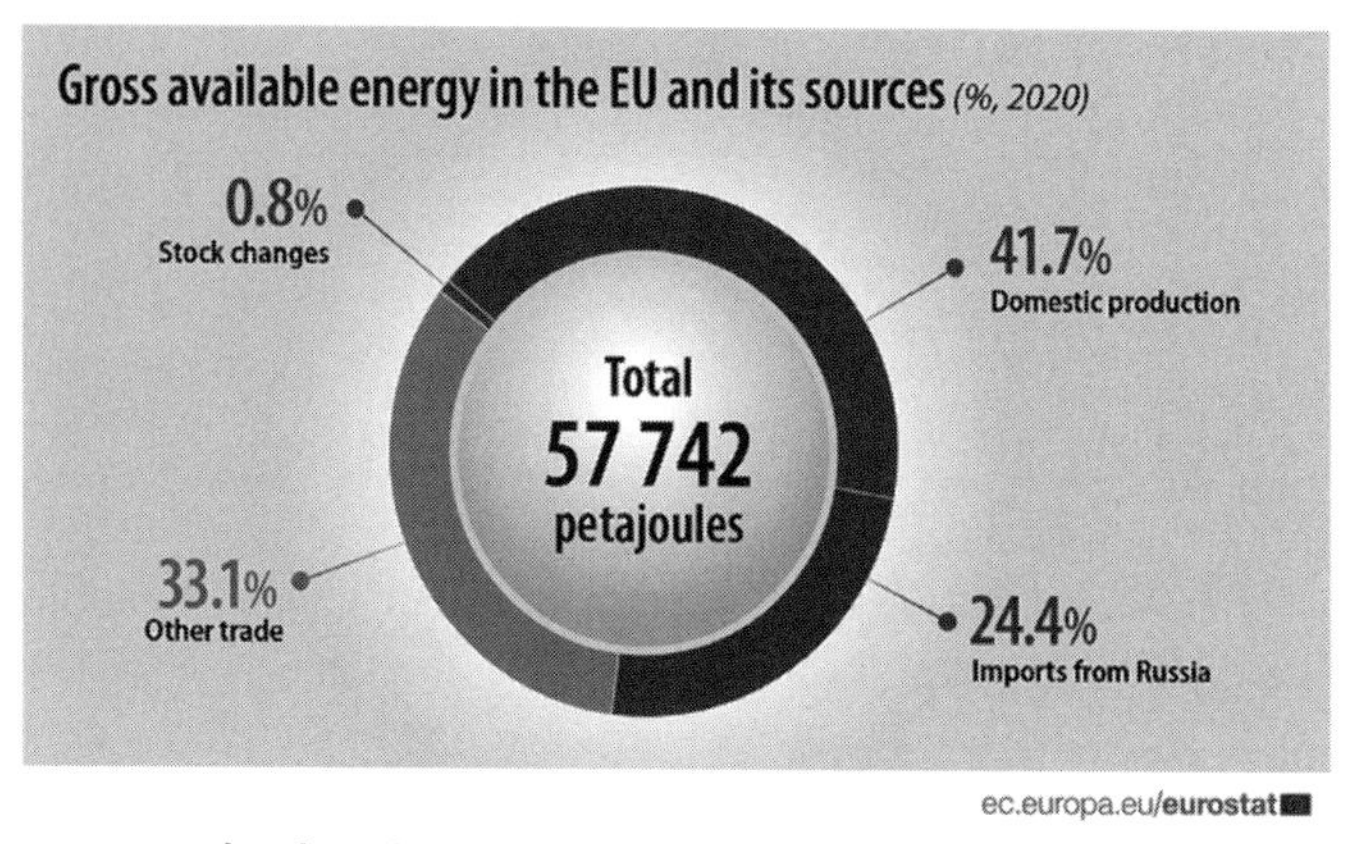

ユーロスタット：Gross available energy in the EU and its sources

建設費にあてがわれ、中国やロシアなどの建設会社が高速鉄道を作りました。

二〇二二年三月十九日に開通したと書かれていますが、ハンガリーとセルビアの総選挙の二週間前に開通式が行われたということです。総選挙前の時期に「中国とロシアの友人が高速鉄道を建設した。万歳！」という開通式の動画をYouTubeで公開したのです。

欧州のエネルギー事情とは

欧州の政治状況の次は、エネルギーの状況について見ていきたいと思います。こちらは数値で表れやすいです。

61ページの図は、EUの統計局、ユーロ

Imports from Russia in gross available energy in 2020
(including Eurostat estimates)

	Total	Natural gas	Oil	Coal
European Union 27 countries (from 2020)	24.4 %	41.1 %	36.5 %	19.3 %
Euro area 19 countries (from 2015)	23.8 %	38.0 %	33.7 %	25.2 %

ユーロスタット：Imports from Russia in gross available energy in 2020（including Eurostat estimates）

スタット（Eurostat）から引用したものです。こちらの「Gross available energy in the EU and its sources（EUの総利用可能エネルギーと供給源）」というグラフを見ていただくとわかりますが、二〇二〇年にEU域内で使われているエネルギーのうち、EU域内で生産しているエネルギーと輸入しているエネルギーの割合が示されています。グラフの赤い部分に「Imports from Russia（ロシアからの輸入）」と書かれており、EU域内のエネルギーの二四・四％がロシアから輸入していることがわかります。二〇二〇年の数字ですが、ロシアからEU域内で必要なエネルギーの四分の一近くを輸入しているのです。二〇二二年に始まったロシアによるウクライナ侵攻後も、輸入状況はあまり変わらない数字だと思います。

62ページの図もユーロスタットからの引用をした「Imports from Russia in gross available energy in 2020 (including Eurostat estimates)」、「二〇二〇年の総利用可能エネルギーにおけるロシアからの輸入量（ユーロスタット推定値を含む）」というデータになります。

ＥＵ加盟国は全部で二十七カ国あります。上段の「European Union 27 countries（from 2020）」と書かれている部分です。下段の「Euro area 19 countries（from 2015）」は、ユーロという通貨を使用している十九カ国のことを指しています。ハンガリーとかポーランド、チェコはＥＵ加盟国ですがユーロ圏ではありません。ハンガリーはフォリント、ポーランドはズウォティ、チェコはコルナという通貨を使用しています。

ＥＵ加盟国二十七カ国とユーロ圏十九カ国に書かれているロシアからのエネルギー輸入量は見比べても、ＥＵ加盟国二四・四％、ユーロ圏二三・八％と、あまり数字的には変わらないことがわかります。

64ページの表は非常に細かい数字が記載されています。細かすぎて何かわからないと思いますので、65ページのデータをご覧ください。

65ページの図に記載してあるデータには、リマークス（remarks）という形式で備考欄が書かれています。この備考欄には何が書いてあるかと言いますと、無茶苦茶なことが書いてあります。「〇〇国は△△（例えば、液化天然ガス）のエネルギーをこれだけ輸入し

	Total	Natural gas	Oil	Coal
European Union 27 countries (from 2020)	24.4 %	41.1 %	36.5 %	19.3 %
Euro area 19 countries (from 2015)	23.8 %	38.0 %	33.7 %	25.2 %
Belgium	24.3 %	7.9 %	46.1 %	35.8 %
Bulgaria	15.4 %	72.8 %	13.1 %	8.2 %
Czechia	23.7 %	86.0 %	35.7 %	1.7 %
Denmark *	21.1 %	52.4 %	27.6 %	86.3 %
Germany	31.1 %	58.9 %	35.2 %	21.5 %
Estonia *	21.4 %	86.5 %	279.4 %	0.1 %
Ireland	3.2 %	0.0 %	6.1 %	5.2 %
Greece	46.5 %	38.9 %	73.0 %	8.9 %
Spain	7.5 %	10.5 %	8.8 %	43.2 %
France	8.4 %	20.0 %	15.7 %	29.7 %
Croatia *	24.7 %	55.0 %	14.2 %	74.7 %
Italy	23.8 %	40.4 %	17.4 %	49.8 %
Cyprus	1.7 %	:	1.3 %	105.4 %
Latvia	31.0 %	100.1 %	25.5 %	95.6 %
Lithuania	96.1 %	50.5 %	202.7 %	69.1 %
Luxembourg	4.3 %	27.2 %	0.0 %	7.7 %
Hungary	54.2 %	110.4 %	57.4 %	11.3 %
Malta	7.5 %	0.0 %	8.7 %	:
Netherlands	49.0 %	35.8 %	70.5 %	50.3 %
Austria *	16.5 %	58.6 %	7.3 %	9.2 %
Poland	35.0 %	45.5 %	76.3 %	13.4 %
Portugal	4.9 %	9.6 %	6.0 %	0.0 %
Romania *	17.0 %	15.5 %	37.0 %	11.8 %
Slovenia *	17.6 %	81.0 %	24.9 %	0.8 %
Slovakia	57.3 %	75.2 %	159.4 %	26.6 %
Finland *	45.0 %	92.4 %	141.2 %	30.0 %
Sweden	8.5 %	13.9 %	32.5 %	22.7 %
Iceland	0.0 %	:	0.0 %	0.0 %
Norway	3.9 %	0.2 %	10.5 %	18.7 %

ユーロスタット：Source: Eurostat (including estimates for non-reported data)

Assumptions made for individual countries:
Denmark:50% of net-imports from Germany are assumed to be from Russia
Estonia:80% of imports from Latvia are assumed to be from Russia
Croatia:80% of net-imports are assumed to be from Russia
Austria:80% of net imports are assumed to be from Russia
Romania: 80% of imports from Hungary are assumed to be from Russia
Slovenia: 80% of imports from Austria are assumed to be from Russia
Finland:80% of imports from Estonia are assumed to be from Russia

ユーロスタット：Source: Eurostat（including estimates for non-reported data）

ています。ただし、輸入先の八割ぐらいはロシアに依存しているのではないか？」という、根拠が曖昧なデータなのですが、公式の統計には掲載されています。

例えば、「〇〇国のロシアからのエネルギー輸入量の依存度は高くありません」という報道を見かけますが、よくよく中身の数字を見ると、他国に一旦輸入されたロシア産のエネルギーを〇〇国に横流しで輸入していることがあります。国によってはロシア産の液化天然ガスを横流しで輸入していることが往々にしてあることを、ユーロスタットに掲載しているのです。流石はEUと言ったところです。

ここまで欧州に関するデータを見てきた通り、一口に「ヨーロッパ」と言っても、定義は難しいです。一枚岩でもなければ、一つでもありません。特にドイツですね。

フォーラム開催前に江崎道朗先生とチャンネルくららのYouTube番組に出演して、今回のフォーラムの前振りのような話をいたしました。その際、とある国の悪口で盛り上がりましたが、それがドイツという国であります。なかなか凄い国でありまして、「ドイツは脱原発をします。凄いだろう！」と言いながら、フランスが原発で作った電気をドイツに輸入するということを平気でしています。その他に、バルト海の下をロシアからドイツまで走る海底天然ガスのパイプライン「ノルドストリーム」というシステムがあるのですが、パイプの破損やガス漏れが発生するなど上手く機能していません。そこで、アメリカや中東の液化天然ガスを船で輸入する形でエネルギーを賄おうとドイツはしていますが、あまり相手をされていません。なぜかというと、アメリカや中東から液化天然ガスを船で輸入している国は日本や中国、韓国などが存在しており、アメリカや中東は高値で売れる国々を優先して輸出しています。ドイツ国内にはもともと液化天然ガスの輸入ターミナルがありませんでしたが、ロシアによるウクライナ侵攻開始後、国内初の液化天然ガス輸入ターミナル建設を発表しました。二〇二二年十二月十七日には、ドイツ北部のウィルヘルムスハーフェンに建設が完了をしたようです。

前述のユーロスタットの図には、ＥＵ加盟国のエネルギーの輸入先のデータが掲載されています。デンマークなどは、「ドイツから輸入しているエネルギーのうち五〇％はロシアから輸入していると推測される」と掲載されています。つまり、ロシア産の液化天然ガスなどが横流しの形で輸入されていると思われます。ユーロスタットには、エストニアやクロアチア、オーストリアも輸入しているエネルギーの八割はロシア産ではないかと書かれているのです。

そして実は、ハンガリーの液化天然ガス輸入率は一一〇・四％となっています。なぜ一〇〇％を超えているのかというと、他国へ液化天然ガスを横流しするためです。一〇〇％の分はハンガリー国内で使用しますが、残りの一〇・四％は他国へ横流しをするという世界です。

ちなみに、ウクライナは二〇一四年のマイダン革命以後、国内用の液化天然ガスをロシアから輸入しておりません。それでは、どこから輸入をしているのかというと、ポーランドがロシアから輸入した液化天然ガスをウクライナが迂回して輸入する形を取っています。

ＥＵのロシアから輸入しているエネルギー量は減少しているように見えますが、ウクライナがポーランドなどを経由して、ロシア産の液化天然ガスを輸入するなど抜け穴が多数あり、実際のエネルギー輸入状況の把握は難しいことが見て取れます。

余談となりますが、『中国天然气发展报告（2022）』という中国の国家エネルギー局が出しているＰＤＦ資料には、「中国はロシアから液化天然ガスをあまり輸入しなくてもやっていけます」と書いてあります。流石に中国はしたたかな国であると言えます。

本日の私の話のまとめになりますが、ヨーロッパは一枚岩では全くありません。報道されている情報、あるいは統計というものをよく見ないと、本当のヨーロッパの姿は全く見えてこないことがあるというのが、本日の結論ということになります。もう少し、ドイツの無茶ぶりの話とか、いろいろとお話できればと思いますが、それはクロストークセッションの際にさせていただければと思います。どうもご清聴ありがとうございました。

『本当のウクライナ』はどうなっているのか
ゼレンスキーはいま何を考えているのか

岡部芳彦

アゾフ海に浮かぶ月

ウクライナ・ゼレンスキー大統領との関係

よろしくお願いいたします。それでは最初に写真を提示します。

こちらはアゾフ海に浮かぶ月を私が撮影したものになります。この写真は、二〇一三年にウクライナのマリウポリという町で撮影をしました。二〇二二年に始まったロシアによるウクライナ侵攻以前には、マウリポリという町は地図を見せないとわからないような町でした。アゾフ海の写真の左の方にちらっと見えている光は、ウクライナ軍が今回の戦争で市民と共に最後まで立てこもった、アゾフスタリ製鉄所がある場所です。この町で犠牲になった市民は少なくとも二万人と言わ

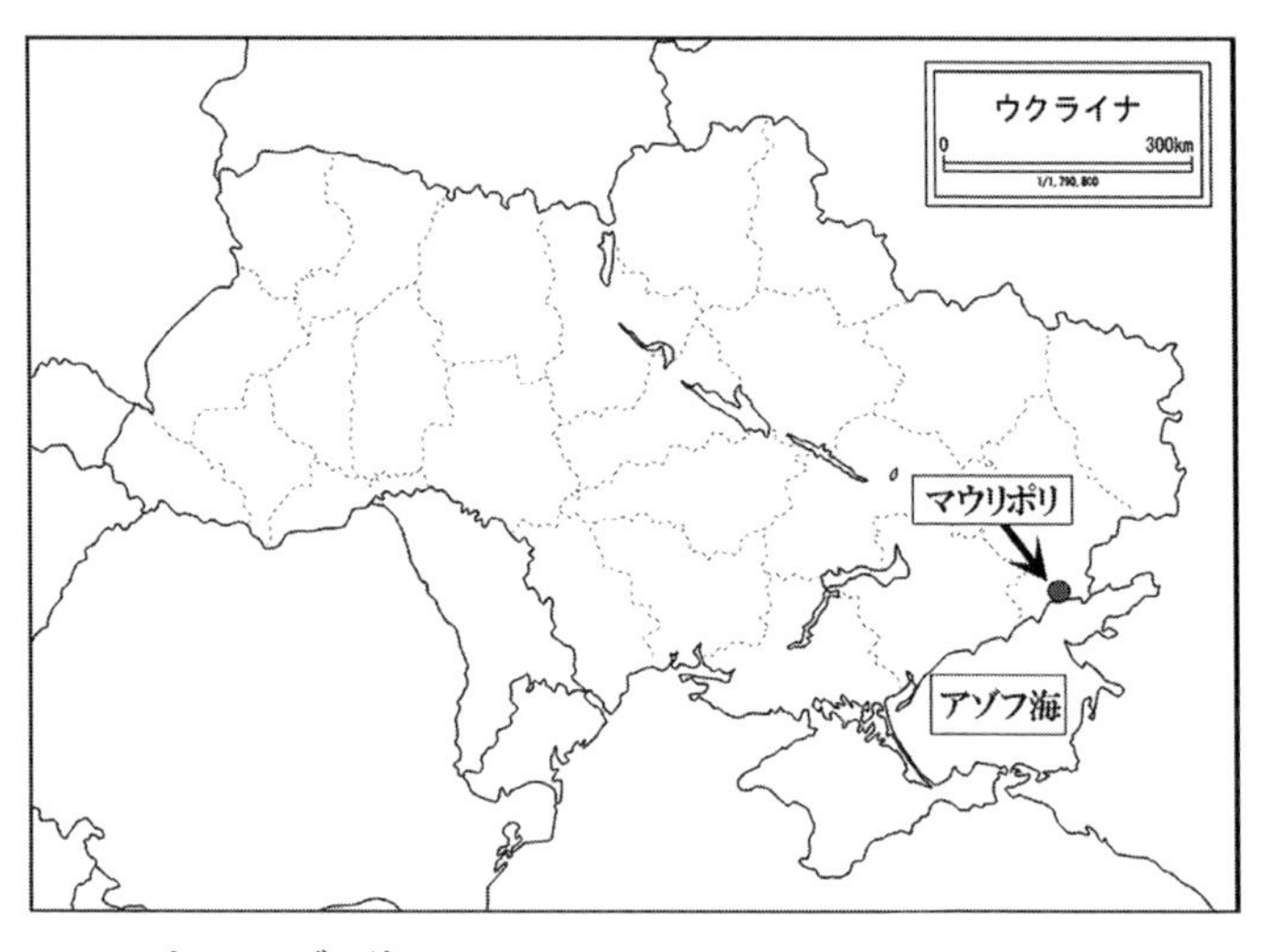

マウリポリとアゾフ海

れていますが、もっと多くの方が犠牲になっているとも言われています。今回のフォーラムでお話を始める前に黙とうをしたいと思います。会場の皆様は着席のままで結構ですので、ご協力ください。

（黙とう）

ありがとうございました。

講演前にご紹介いただきましたが、実は私は、ウクライナ大統領附属国家行政アカデミーとニジニノヴゴロド国立言語大学という、ウクライナのアカデミーとロシアの国立大学から名誉教授の称号をいただいております。その私に今朝、ちょうどロシアの国立大学から「次はいつ来るんだ」とい

自己紹介：岡部芳彦

うメールが届きました。ですが私、ロシア外務省が二〇二二年五月四日に発表した「ロシア連邦への日本政府の政策に対する報復措置に関してのロシア外務省声明」によって、六十三名中の六十二番目の入国禁止者となっております。どういう意図でリスト入りしたのか、よくわかりませんが、最初にご紹介いたしました。

今回のフォーラムで私が着ている服は、ウクライナの民族衣装のヴィシヴァンカというものです。本来のヴィシヴァンカは明るい色の衣装なのですが、戦争開始後は地味目なデザインのヴィシヴァンカが出てまいりました。どこかの県のどこかの知事が会議の場で「ゼレンスキーです」と発言して、顰蹙を買ったニュースが二〇二二年にありましたが、今日の私は、ゼレンスキー大統領と同じモデルのヴィシヴァンカを着てまいりました。このヴィシヴァンカは今回の戦争開始後、ウクライナから取り寄せました。どこから届いたのかと、ラベルを確認したら、二〇二二年十一月にウクライナ軍が解放する前の、ロシア占領下のヘルソン州から届いていました。私は凄く驚いて、ヴィシヴァンカを届けてくれた相手にメールを送りました。すると、「自分のところは占領されていないから大丈夫だ」という返信が書かれていました。

そして、私はウクライナ研究会という学術団体の会長も務めております。ウクライナ研究会の活動をご紹介させていただきます。全部はできませんので一つだけご紹介いたします。

二〇二二年二月二十四日からロシアによるウクライナ侵攻が始まりました。その後、ウクライナの首都の表記が、カタカナのロシア語読みの「キエフ」からウクライナ語読みの「キーウ」に変更されました。表記が変更されたことをほとんどの方はご存じかと思いますが、この表記の変更を誰が決めたのかというと、凄く乱暴にいうと私が決めました。

実際には私が座長を務める会議で、ウクライナ語研究の第一人者である中澤英彦ウクライナ研究会副会長が提案されました。二〇二二年末には、流行語大賞トップテンに「キーウ」が選ばれまして、非常に良い仕事を我々ウクライナ研究会がさせていただいたかなと思っております。

そして、今回のフォーラムに向けて「ゼレンスキー大統領は何を考えているのか」というテーマを倉山満先生よりいただきました。

一つご紹介したいのが、「二〇二二年二月二十四日以前の世界、もしかしたら戦争が起こった一番の原因はゼレンスキーかも」という、陰謀論者が聞いたら喜びそうなタイトルですが、そういう話ではございません（笑）。

私はゼレンスキー大統領と二回お会いしたことがあります。一度目は、二〇一九年九月のことで、ゼレンスキー大統領が当選して三カ月が過ぎたころです。ヤルタ・ヨーロッパ戦略会議という国際会議にゼレンスキー大統領が出席しておりました。私もその国際会議に毎年呼ばれています。

世界のトップクラスのパネリスト、現職の大統領なども出席する国際会議で、集合写真を撮る習慣があります。私は、この国際会議に最初に出席した年に「写真撮影のときに二列目の真ん中に立てば、大統領の後ろに立てる」と気づきました。そこで、二〇一九年の国際会議の集合写真の撮影時、撮影の三十分前から二列目の真ん中に立っていました。で

ヤルタ・ヨーロッパ戦略会議にてゼレンスキー大統領と（2019年9月13日）

すが、撮影五分前ぐらいに主催者から「その場所からどいてくれ」と言われました。「この立ち位置は駄目だな」と思いまして、三列目の真ん中に立ち位置を変更すると、あまり文句を言われなくなりました。そのまま写真撮影は終了して、私は前方にいたゼレンスキー大統領の肩を叩いて写真撮影をお願いしたところ、ゼレンスキー大統領から「写真撮影いいよ」と返事をいただきました。ですがこの時、ゼレンスキー大統領の警護をするＳＰの輪の中に入ってしまい、自撮りをせざるを得なくなりました。

実は私、この日まで自撮りをした経験がありません。左手でカメラを持って撮影をしたのですが、私の左手しか写らなくて、焦って撮り直してもゼレンスキー大統領の左側頭部しか写りませんでした。「学生はどうやって自撮りしているのかな?」と考えていたら、私の手が動かなくなり、「緊張のあまり手がつったのかな?」と思うと、後ろの主任警護官が、私が大統領に危害を加えようとしていると思って取り押さえていました。するとゼレンスキー大統領から「あんた、セルフィー（自撮り）したことないのか」と言われて、「ありません」と私が言うと、ゼレンスキー大統領が私のカメラを取り上げて撮影してくれたのが、紹介している画像の写真になります。

初めてゼレンスキー大統領とお会いしてから一カ月後、二〇一九年十月二十二日、天皇陛下の「即位礼正殿の儀」に参列するためにゼレンスキー大統領が来日されました。

そのときに私はゼレンスキー大統領との朝食会に招かれました。明るい色のヴィシヴァンカを着用した私は末席のゲストとして出席して、ゼレンスキー大統領と握手をしました。その際に「あっ、セルフィーマンだ」とゼレンスキー大統領が言いまして、私も驚いたのですが、「大統領、覚えていますか」と返すと、ゼレンスキー大統領が「先月のことだから覚えているよ。セルフィーはできるようになったか」と言われました。できるか怪しかったのですが、私は「できます」と言ってしまいました。

その朝食会の際に、九月の国際会議で撮影した写真をプレゼントしました。「ゼレンスキー大統領、日本へようこそ。岡部芳彦」と書いて差し上げました。今、その写真がどこにあるのか気になるところではあります。

即位の礼で来日時に再会（2019 年 10 月）

ロシアによるウクライナ侵攻の原因はゼレンスキー大統領？

ここからは少し具体的な話に入らせていただきます。二〇二二年二月からロシアによるウクライナ侵攻が始まった原因について、特にロシア寄りの評論家の方が「ウクライナに原因があるのではないか」と、お話をされる際によく引き合いにだされるのが「クリミア・プラットフォーム」です。ロシアによって二〇一四年に併合されたクリミア半島の奪還を目指す国際会議であるクリミア・プラットフォームは、二〇二一年八月二十三日の会議から始動しました。この国際会議がロシアのウクライナ侵攻に影響しているのかというと、私はあまり影響していないと思っています。

二〇一九年に当選したゼレンスキー大統領はフランスのパリで開催された、ウクライナ東部紛争の和平協議に出席しました。ゼレンスキー大統領は会議の場で、にこやかに写真を撮っていました。それを見た私は、どう思ったのかというと、ゼレンスキー大統領はてっきりロシアのスパイだと思っていました。そのように思えてしまうロシア寄りの選挙公約をゼレンスキーは大統領選挙で立てていたためです。

ゼレンスキー大統領は就任してからの半年間、何をやっていたのかというと、プーチン大統領との首脳会談を求めていました。直接会えなくても電話会談をしてほしいとアピールを続けて、何度か電話会談をしてもらえたようです。

そして、対面での首脳会談が実現したのは、二〇一九年十二月に開催されたウクライナ東部紛争の和平協議のときです。首脳会談の写真を見てもわかる通り、プーチン大統領は一度もゼレンスキー大統領と目を合わせていませんでした。そして、プーチン大統領は和平協議の感想を「ゼレンスキーみたいな詐欺師を見たのは初めてだ」と最近になって述べたそうです。

ゼレンスキー大統領は和平協議のときに何をしたのかというと、「とりあえず平和だ。しかし、ウクライナの連邦化につながるミンスク合意を履行することは受け入れられない」と言っていました。ロシア寄りの選挙公約を大統領選挙で掲げて、当選後に首脳会談を求めながら、和平協議で実際に会ったゼレンスキー大統領の対応を見たプーチン大統領は、ゼレンスキー大統領の行動を二枚舌と捉えたのかもしれません。

そして、これは勝手な憶測にはなりますが、ゼレンスキー政権は政権発足当初、ロシアへの融和政策を進めていました。そのため、ゼレンスキー大統領に会ったプーチン大統領は「ゼレンスキー政権は何とかなりそうだ」と思って、これが今回の戦争を招く遠因になってしまったのではないかと感じています。

先ほど、ロシア寄りの論者の方はクリミア・プラットフォームの開催などが、ウクライナの攻撃的姿勢となり、今回の戦争を招いたのではないかと話されていますが、そうではなくて、ロシアに対する姿勢が甘かったのが、今回の戦争を招いたのではないかと感じています。

ロシアによるウクライナ侵攻の様相は?

今回のロシアによるウクライナ侵攻は、ロシアにとっては少数民族と貧者の戦争ではないかと思われます。ウクライナのブチャという町で虐殺に関与したと言われるのが、第六十四独立親衛自動車化狙撃旅団の兵士たちです。兵士たちを撮影した写真を見ると全員アジア系です。ブリヤート人だと言われています。

ウクライナからすると、ロシアとの戦争が始まったと思ったらアジア人が押し寄せてきてブチャ虐殺が発生したという状況です。アジア人が残虐だというわけではありませんが、写真に写るブリヤート人が住む地域は非常に貧しい地域であり、ロシア軍の兵士という職業は非常にいい仕事となっています。

ロシア軍を一言で乱暴に言うと、「兵隊ヤクザ」のような人たちです。その人たちがウクライナで、とんでもないことをしでかしている。そのような構造があるのではないかと考えています。

そして、こちらは非常に重要なニュースになりますが、日本ではほとんど報じられておりません。二〇二二年十月二十七日、ロシアの構成国であるカルムイク共和国の非公式組織「オイラト・カルムイク人民会議」が独立宣言を発表しました。

ウクライナ国境に近い場所に、ロストフ・ナ・ドヌーというロシア国内でも大きな町があります。その町から車で一時間ほど移動すると、アジア人の共和国であるカルムイク共和国があります。人口二十七万人ぐらいで、チベット仏教が信奉されています。このカルムイク共和国の独立政府を標榜している人たちが独立宣言をしたのです。

今回の戦争には、ロシア国内の非ロシア人の共和国から戦闘に駆り出されている人たちがいますが、非ロシア人の共和国からは独立宣言をする動きが出てきています。ロシア国内で非常に動揺が広がっているニュースは重要ですのでご紹介しました。

ロシア連邦の構成国であるカルムイク共和国の「独立宣言」

- 人口 27 万人
- 2022 年 10 月 27 日自称「オイラト・カルムイク人民会議」は、カルムイクの独立宣言を発表
- ロシア・ウクライナ戦争に同会議は反対
- 「ウクライナでの非常識な大虐殺」のためにカルムイク人の参加させるべきではないと主張

もしかすると、少し大袈裟に言うとロシア連邦の再編もあり得るのではないかと考えています。再編ということはロシア連邦の解体ということになります。エマニュエル・トッドというフランスの歴史人口学者の方がおりますが、この方がなぜ日本で名前が知られているのかと言うと、ソ連崩壊を予言したからだと言われています。もしも今後、ロシア連邦の再編が始まったら、ぜひ私の名前を広めていただけたらなと考えております（笑）。

クリミアはウクライナ、北方領土は日本！

二〇二二年二月七日「北方領土の日」に、大阪市中央公会堂で北方四島返還を求める会合が開催されたのですが、私はここで「ロシアのウクライナ侵略と北方領土」という講演をしておりました。当日の様子は産経新聞の記事にもしていただきました。

※『ウィキペディアで「北方領土」表記がある言語は…岡部芳彦・神戸学院大教授が大阪で講演』（産経新聞、二〇二三年二月七日）

実はウィキペディア（インターネット百科事典サイト）に「北方領土問題」と検索する

と日本語版の記事は出てくるのですが、他の言語の記事はほとんど出てきません。ウィキペディアの画面右上には「北方領土問題」の記事が二十七カ国版あると出ていますが、このうち二十五カ国版の記事には「クリル諸島問題」という記事で書かれています。

しかし、日本ともう一カ国だけ「北方領土問題」という名称を使用しています。

それはどこの国かというと、実はウクライナ語版の記事になります。

そして、二〇二二年二月七日「北方領土の日」にウクライナの首都キーウにあるロシア大使館前では、世界で唯一北方領土返還デモが行われています。「ウクライナへの支援を日本がどうして行わなければいけないのか」という人がいますが、「北方領土返還デモを世界で唯一ウクライナが行ってくれているのだから、支援をする理由はこれだけで十分ではないか」というのが私の意見です。

そして、ウクライナの人たちが作成した「それは日本だ」という、日本の国旗とウクライナ語を合わせた標語があります。

我々日本人は、ロシアと領土問題を抱えている国同士として「クリミアはウクライナ、北方領土は日本！」と恐れずに言えるのかが非常に重要ではないかと考えております。

その理由は、二〇二二年にロシアで新しい法律が成立したためです。虚偽情報の流布を

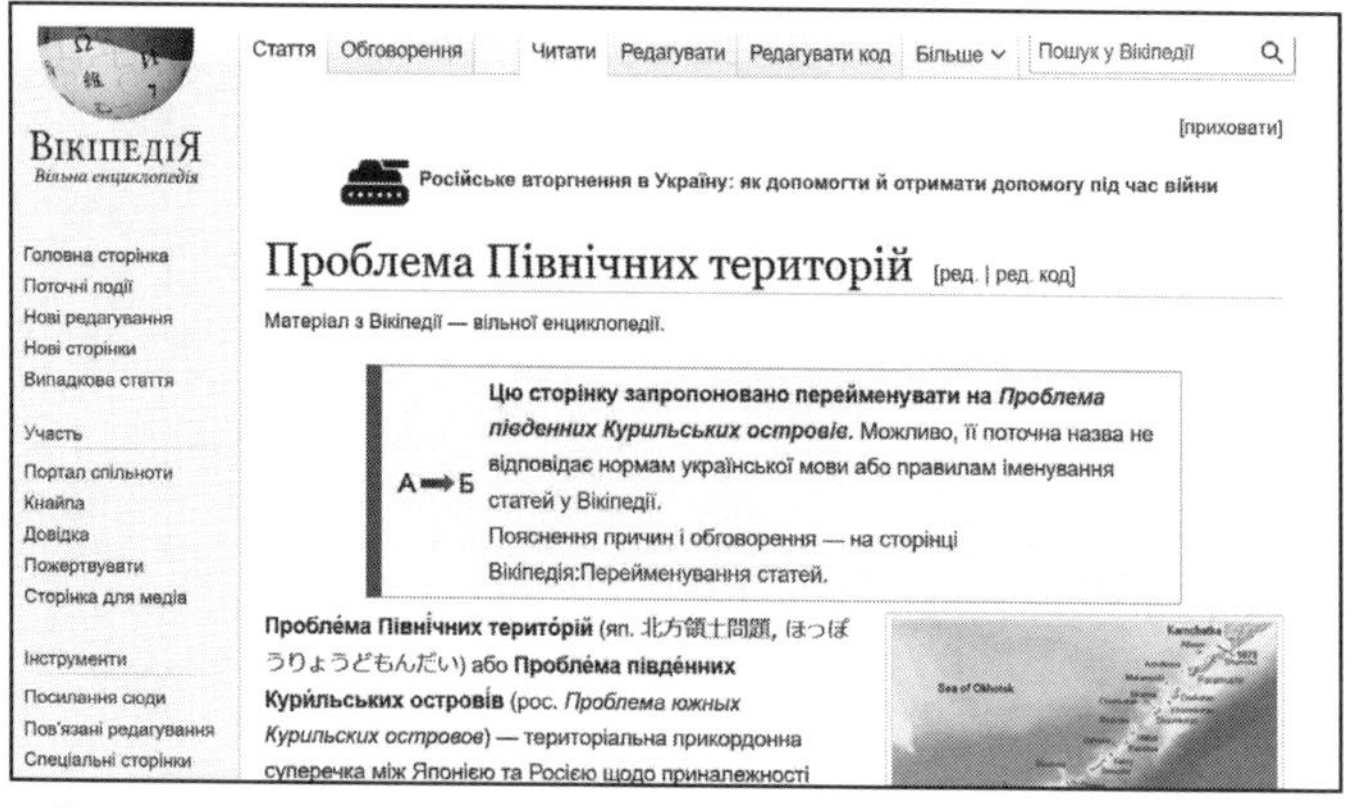
Стаття Обговорення Читати Редагувати Редагувати код Більше Пошук у Вікіпедії

ВікіпедіЯ
Вільна енциклопедія

[приховати]

Російське вторгнення в Україну: як допомогти й отримати допомогу під час війни

Проблема Північних територій [ред. | ред. код]

Матеріал з Вікіпедії — вільної енциклопедії.

А ➡ Б **Цю сторінку запропоновано перейменувати на *Проблема південних Курильських островів*.** Можливо, її поточна назва не відповідає нормам української мови або правилам іменування статей у Вікіпедії.
Пояснення причин і обговорення — на сторінці Вікіпедія:Перейменування статей.

Пробле́ма Півні́чних терито́рій (яп. 北方領土問題, ほっぽうりょうどもんだい) або **Пробле́ма півде́нних Кури́льських острові́в** (рос. *Проблема южных Курильских островов*) — територіальна прикордонна суперечка між Японією та Росією щодо приналежності

Головна сторінка
Поточні події
Нові редагування
Нові сторінки
Випадкова стаття
Участь
Портал спільноти
Кнайпа
Довідка
Пожертвувати
Сторінка для медіа
Інструменти
Посилання сюди
Пов'язані редагування
Спеціальні сторінки

「北方領土問題」ウクライナ語版ウィキペディア記事

2022年2月7日　キーウのロシア大使館の前で北方領土返還のデモが行われる世界で唯一の国ウクライナ。「Курилы это Япония! И Сахалин кстати тоже!」YouTubeより引用

ЦЕ ЯПОНІЯ!

ウクライナ語による標語「それは日本だ」

処罰の対象とする法律で、例えば今回の戦争をロシア側は特別軍事作戦と呼んでいますが、「ウクライナへの侵攻」とか「戦争」とロシア国内で言ってしまうと、虚偽情報の流布をしたと見なされ、禁固最高十五年が科されてしまうのです。また、「北方領土は日本だ」と言うと、領土割譲行為と見なされて禁固最高十年とされてしまいます。

大阪で開催された北方四島返還を求める会合で「この大会に参加をしているだけで、ロシアに行くと懲役十年を科されますが、皆さん頑張れますか?」と話したところ、会場の皆さんは一瞬ひるんでおられました。ですが、我々にとっても大事なことですので、この法律の存在を覚えておいてください。

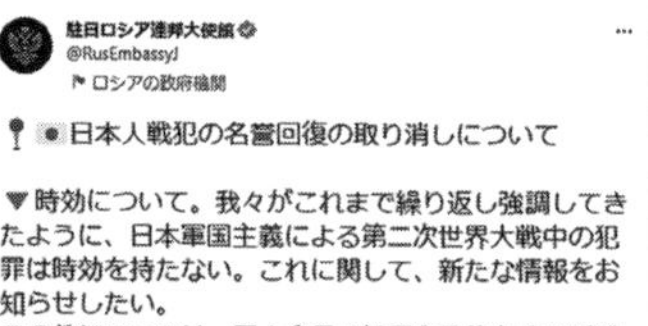

駐日ロシア連邦大使館 Twitter

最後に一つ、二〇二三年五月に開催されるG7広島サミットで重要になることをお話いたします。

東京新聞と中日新聞が報じているのですが、戦犯容疑でシベリア抑留に従事させられた高位の日本軍軍人がソ連の末期に名誉回復をして復権したことを、ロシア最高検察庁が復権取り消しにしたとロシア政府が発表したのです。

そして、五年くらい前からロシア政府は、第二次世界大戦時にアメリカが広島に原爆を投下したことを、アメリカの戦争犯罪であると主張し、日本人は立ち上がれと言っています。これは、アメリカと日本の関係にくさびを打とうとする、ロシアの歴史戦が我々に仕掛けられているということです。ロシアによる歴史戦が展開

「クリミアはウクライナ　北方領土は日本!」と恐れずに言えるか

していう状況で、G7広島サミットが開催されますので、我々も備えていかなければいけないと思います。

そして、90ページの図に書いてありますが、ウクライナ語版のウィキペディアの「北方領土問題」の記事が、二〇二三年二月六日に「クリル諸島問題」と書き換えられてしまいました。このようなウィキペディアの記事の書き換えも、どこかの国との歴史戦であるかもしれません。我々は歴史戦を仕掛けられている最中であるということを覚えていただければと思います。

ここで提言をさせていただきます。二〇二三年五月開催のG7広島サミットに向けて、我々も何かをしていけないかと考えました。ウクライナは、クリミア・プラットフォームという国際会議を作り、国際社会にクリミア半島の奪還を訴えました。そこで日本は今こそ「ホッポウ・プラットフォーム」を作って、G7広島サミットの場で北方領土の奪還を訴えるぐらいの覚悟を示す必要が、我々にあるのではないかと考えております。

そして次ページのイラストは、私がウクライナ語版の「これは日本だ」という標語をもじって作成した、ロシア語版の「それは日本だ！」という標語です。ぜひとも皆さんにやっていただきたいのは、私のTwitterに挙げている「それは日本だ！」の標語を、返信先をロシア連邦大使館のTwitterにしていただいて、どんどん向こうに送り付けるというキャンペーンをお願いしたいなと考えております。

今日はいろいろなお話をさせていただきましたが、現在のウクライナと日本が置かれている状況に加えて、日本がどのような立場にあるのかをご紹介させていただきました。

ご清聴ありがとうございました。

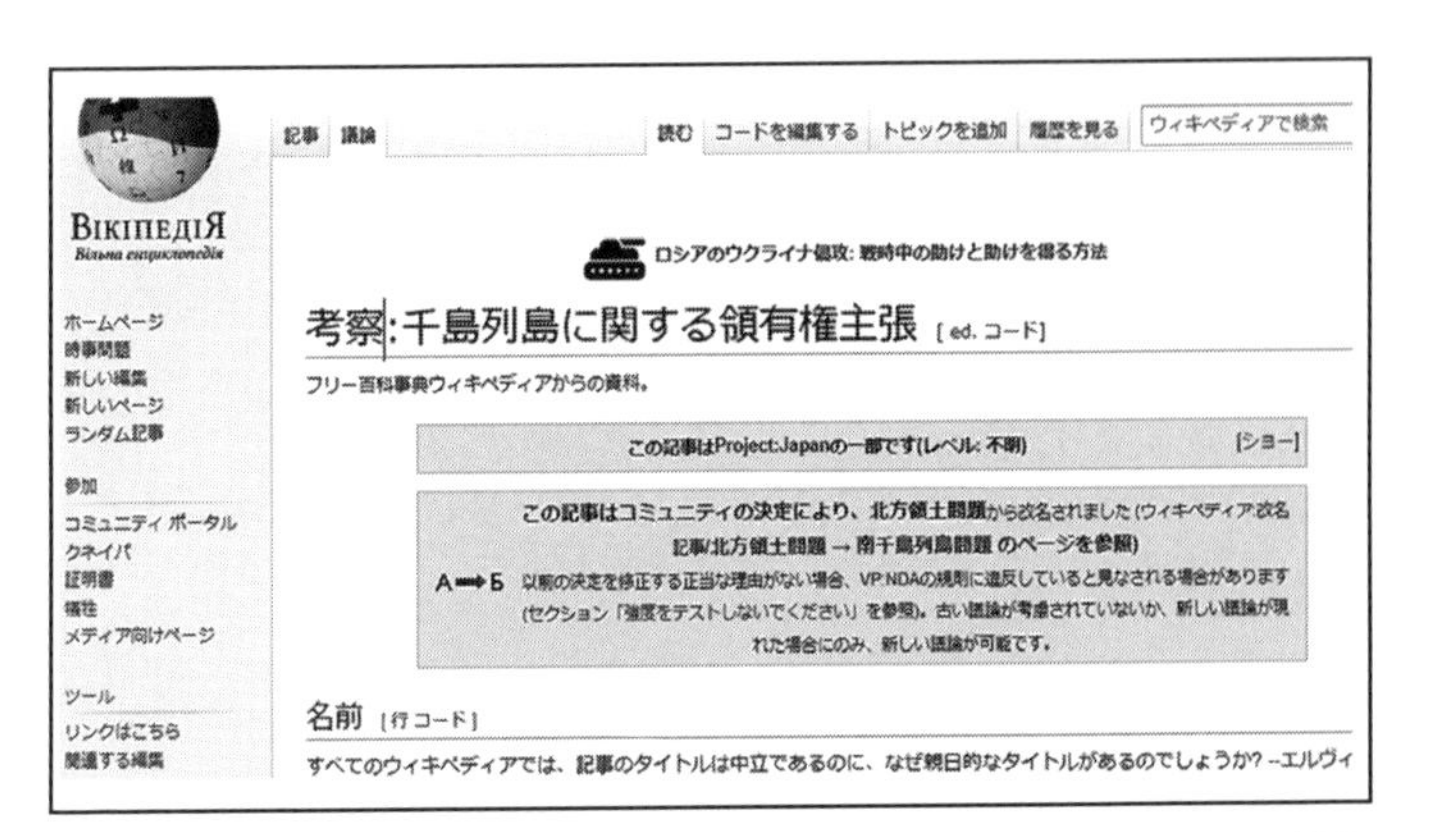

2023 年 2 月 6 日の大事件！ウクライナ語版 wikipedia が「北方領土問題」から「南千島列島問題」へ変わる！！！。書き換えられたウクライナ語版ウィキペディア「北方領土問題」記事

#Это Япония!

「それは日本だ！」ロシア語版

駐日ロシア連邦大使館 Twitter

第二部

クロストークセッション
「国際情勢の様々な変化について」

モデレータ：江崎道朗　（一般社団法人救国シンクタンク理事・研究員）

出　演　者：倉山満　（一般社団法人救国シンクタンク理事長・所長）

渡瀬裕哉　（一般社団法人救国シンクタンク理事・研究員）

中川コージ（一般社団法人救国シンクタンク研究員）

篠田英朗　（東京外国語大学大学院総合国際学研究院教授）

小野義典　（城西大学現代政策学部准教授）

岡部芳彦　（神戸学院大学経済学部教授・神戸学院大学国際交流センター所長・ウクライナ大統領付属国家行政アカデミー・ニジニノヴゴロド国立言語大学名誉教授）

※本内容は令和五（二〇二三）年二月十二日に開催した「大国のハイブリッドストラグル新春２０２３」にて行われた六名の登壇者によるクロストークセッションを基に文章化しました。そのため時事に関する情報は当時のものになります。

これからの世界を見る上で、どこが重要地域なのか

江崎

これよりクロストークセッションを開始いたします。司会は救国シンクタンク研究員の江崎道朗が行います。どうかよろしくお願いいたします。

本日はお休みの日に会場へご参加いただき心より感謝いたします。フォーラムにご登壇いただいている先生方の話を聞いて「こんなに難しいことを考えなければいけないのか」と思うかもしれませんが、こういう難しいことを考えることができる人たちが一定数いないと、単純な煽りの議論を中国やロシアなどから仕掛けられて、それに世論が振り回され、日本の政治がおかしな方向に進むことになりかねないのです。だから、煽りの議論に流されずに立ち止まって、しっかりと考える人が増えることが日本を良くしていく道だと僕は思っています。これからの一時間半、一緒にお付き合いいただければと思います。

最初に今回のフォーラムのパンフレットに掲載している世界地図をご覧ください。

こちらの世界地図には、今回ご登壇いただいたゲストの先生方三名と救国シンクタンク研究員二名に「これからの世界を見る上で、どこが重要地域なのか」という観点で選んだ

フォーラム用重要地域メモ

地域に、各人が二カ所ずつ、計十カ所マークしてもらっています。

まずは、先生方に、それぞれがマークをした重要地域の意味するところを解説していただきます。始めに、岡部芳彦先生にウクライナの首都「キーウ」と「タタールスタン」を重要地域としてマークされた理由をご説明いただきます。

岡部　ありがとうございます。ウクライナの首都「キーウ」は、会場の皆様に言うまでもないと思いますが、二〇二二年二月二十四日のロシアによるウクライナ侵攻後、今の世界では良い意味でも悪い意味でも話題の中心にあ

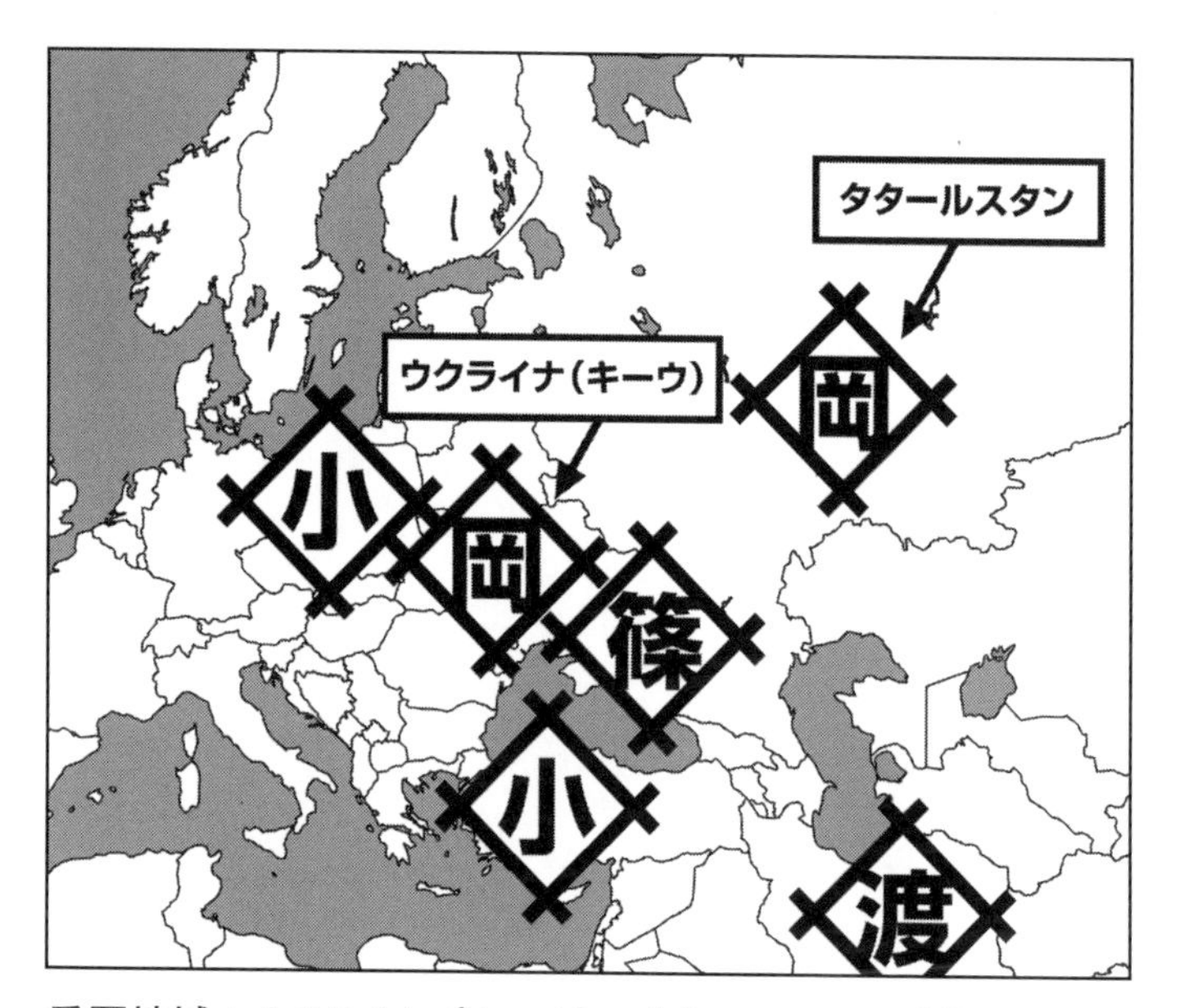

重要地域：ウクライナ（キーウ）・タタールスタン（非ロシア系民族共和国）

ります。今年のキーウがどうなっていくのかというのは、昨年末に出演したテレビ（カンテレ「報道ランナー」二〇二二年十二月二十六日放送）にて予想をお話しました。慶應義塾大学の廣瀬陽子先生と防衛省防衛研究所・防衛政策研究室長の高橋杉雄先生と私の三名が予想をしたら、三人とも「ウクライナ侵攻は長期化する」との見方をしました。私はウクライナへ早く出張をしたいので、長期化するとは言いたくなかったのですが、残念ながら長期化する見通しになっているので、まだまだ我々はこの問題に付き合っていかなければいけないと感じています。

そして、もう一つ重要地域としてマークをしたのが「タタールスタン（非ロシア系民族共和国）」になります。あまり聞きなれない地名だと思われるかもしれませんが、ロシア連邦共和国の構成国の一つにタタールスタン共和国があります。ロシアは少数民族がたくさんいる多民族国家です。二百以上の少数民族がいる中の一つにタタール人がいて、タタールスタン共和国に大半のタタール人が住んでいます。

クロストーク前の個別講演にて、ロシア連邦共和国の構成国の一つ、カルムイク共和国の人口は二七万人ぐらいだとお話をしたと思います。では、タタールスタン共和国の人口はどれぐらいかというと、三百七十万人ぐらいです。首都はカザンという町で人口百十万人を超える都市になっています。

二〇二二年九月二十一日にロシアのウラジミール・プーチン大統領は、予備役を部分的に動員する大統領令に署名しました。その後、ロシア軍内で動員が始まるのですが、Twitter などのＳＮＳにロシア人が動画を投稿し始めます。例えばカザンの街中の暴動の様子などが投稿されており、「なぜ我々が戦場に駆り出されてウクライナに行かなければいけないのか」と怒りの暴動が起こり、かなり暴力的な騒動に発展したものもありました。

その理由はなぜなのかというと、タタール人の多くはイスラム教徒だからです。私は兵庫県神戸市生まれの神戸育ちなんですけど、神戸には日本で数少ない本格的な真っ白なモスク、神戸ムスリムモスクがあります。異人館通りの近くにあるのですが、神戸ムスリムモスクは、ロシア帝国から満洲や他のアジア諸国あるいはトルコに逃れたタタール人の人たちが建設資金の一部を出したと言われております。一九三〇年代に神戸に移住するイスラム教徒が増えて以来、日本とは凄い深い関わりを持っているので非常に縁深いと言えます。

そのようなタタール人をはじめとする少数民族の共和国が存在するロシア国内では、今まさに動揺が起きています。個別講演の際に「ロシア連邦の再編があるのではないか」と話をしたのは、そういう綻びが見え始めているためです。ですので、「タタールスタン」という地域が重要であると取り上げさせていただきました。

ひとまず私からは以上です。

江崎
岡部先生、ありがとうございます。

次は小野義典先生、お願いいたします。小野先生は「ヴィシェグラード諸国（ポーランド・チェコ・スロヴァキア・ハンガリーの四カ国の総称）」と「トルコ」を重要地域としています。

小野

小野でございます。「ヴィシェグラード諸国（ポーランド・チェコ・スロヴァキア・ハンガリーの四カ国の総称）」というところを挙げさせていただきました。EU（欧州連合）を研究している立場から見ると、ちょっと異端というか、異質な行動を見せるのがヴィシェグラード諸国になります。

ヴィシェグラード諸国は四カ国ありますが、実は日本とも関係があります。安倍晋三元総理大臣は「ヴィシェグラード諸国四カ国との連携強調を目指すのだ」ということをおっしゃっておられました。二〇一三年には松下奈緒さんという女優でピアニストの方を「V4（ヴィシェグラード四カ国）＋日本」の交流年親善大使に委嘱しました。そのような形で、我が国は、ヴィシェグラード諸国を実は推しているということになります。

私も愛読している朝日新聞という新聞がありますが、朝日新聞では「ハンガリーは中道

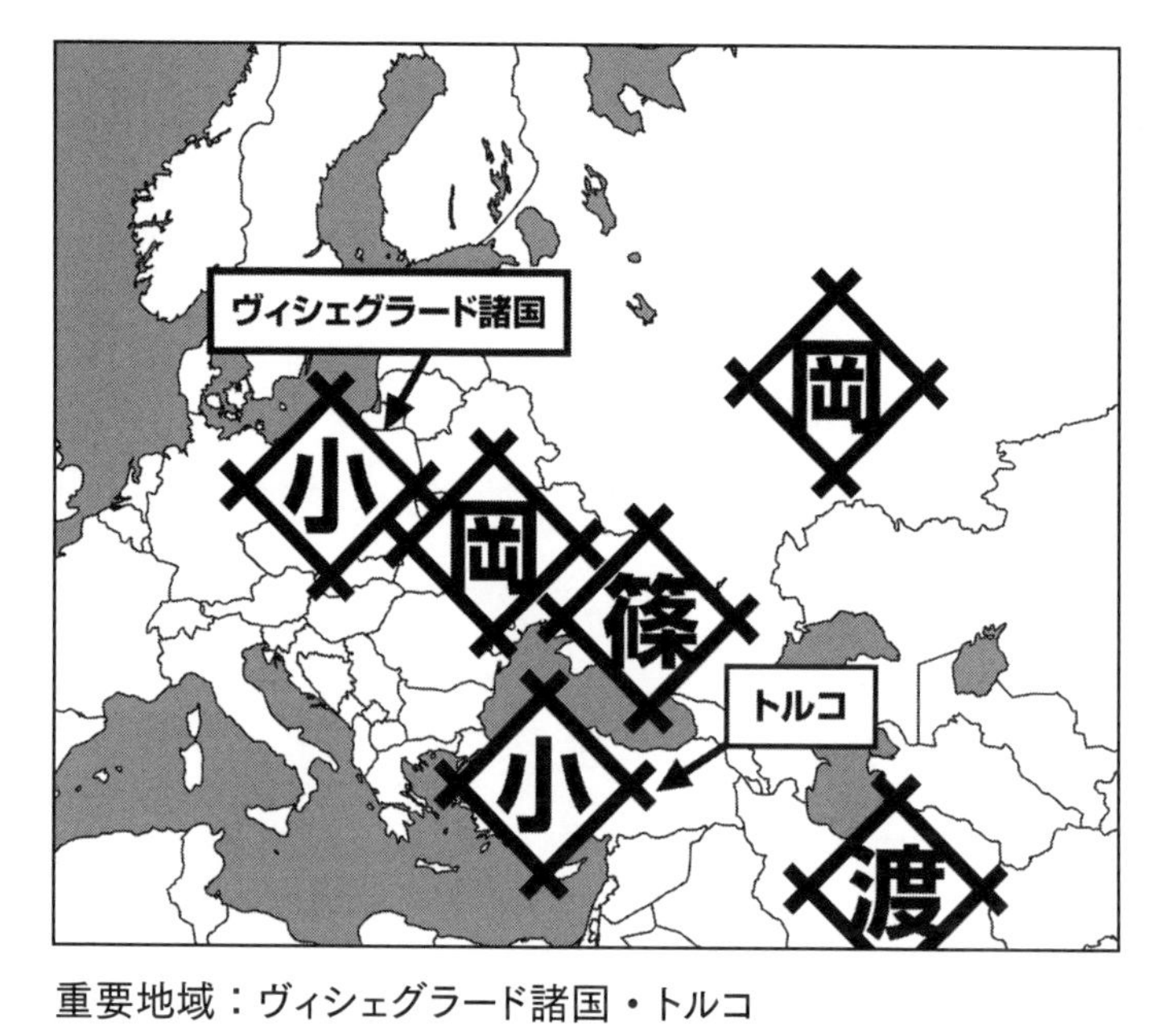

重要地域：ヴィシェグラード諸国・トルコ

右派と言いながら強権的で〜」という報道をハンガリーのオルバン政権に対して行いながら、「アベ政治を許さない〜」のような報道をよくやっていました。また先ほどの個別講演の際に、セルビアとハンガリーとの間の高速鉄道事業の紹介をして、それが実は中国の融資とロシア企業によって建設されたため、ハンガリーは中露にからめ取られているようなところがあるとお話しました。

そして、ヴィシェグラード諸国の一つであるポーランドもロシアとウクライナがせめぎ合いをしている間で、いろいろな行動をしているのが見えたりしますので、「ヴィシェグラード諸国」を重要地域として挙げさせていただきました。

もう一つの重要地域に挙げたのが「トルコ」であります。冷戦体制が花盛りの一九六二年頃にキューバ危機というものがありました。当時、アメリカ合衆国のジョン・F・ケネディ大統領とソビエト連邦のニキータ・フルシチョフ第一書記との間で交渉が行われてキューバに配備されたソ連のミサイルが撤去されることになります。実はその時にバーター取引に使われたのが、トルコに配備されていたアメリカのミサイル撤去という条件でした。

そのような経緯もありまして、現在、NATO（北大西洋条約機構）の加盟国であるトルコが、ロシアによるウクライナ侵攻が続く中、ロシアとウクライナとの間で和平の仲介を図る外交行動に出ています。あるいはウクライナに対して、トルコはドローンを供給している国でもありますので、そのような意味でも重要地域であるということで「トルコ」を挙げさせていただいたという次第であります。

私からは以上です。

江崎

ありがとうございます。続いて渡瀬先生、「ワシントンD.C.」と「イラン」を重要地域に挙げた理由をお話ください。

渡瀬

アメリカの「ワシントンD.C.」は言わずと知れた、アメリカの首都であり、権力闘争の場です。アメリカの大統領選挙は二〇二四年に予定されていますが、大統領選に向けて名乗りを上げる人たちが、今年の夏を過ぎたらどんどん出てくると思うので、アメリカ大統領選は今年スタートすると言えます。すでに埋没しそうな人に関しては、今のうちに手を挙げている状況です。今年の二月には、ニッキー・ヘイリーさんという、アメリカの国連大使を務めた人も大統領選に出馬表明をしています。このように、世界の事実上のトップといえるアメリカ大統領を決める戦いが、すでに今年から本格的にスタートし始めているのです。

アメリカの選挙関係者にとって、選挙が終わると直ぐに次の選挙が始まるというのは常識です。そして現在、共和党内ではフロリダ州のロン・デサンティス州知事がドナルド・トランプ前大統領を支持率で上回っている状況です。フロリダ州というのは基本的にキ

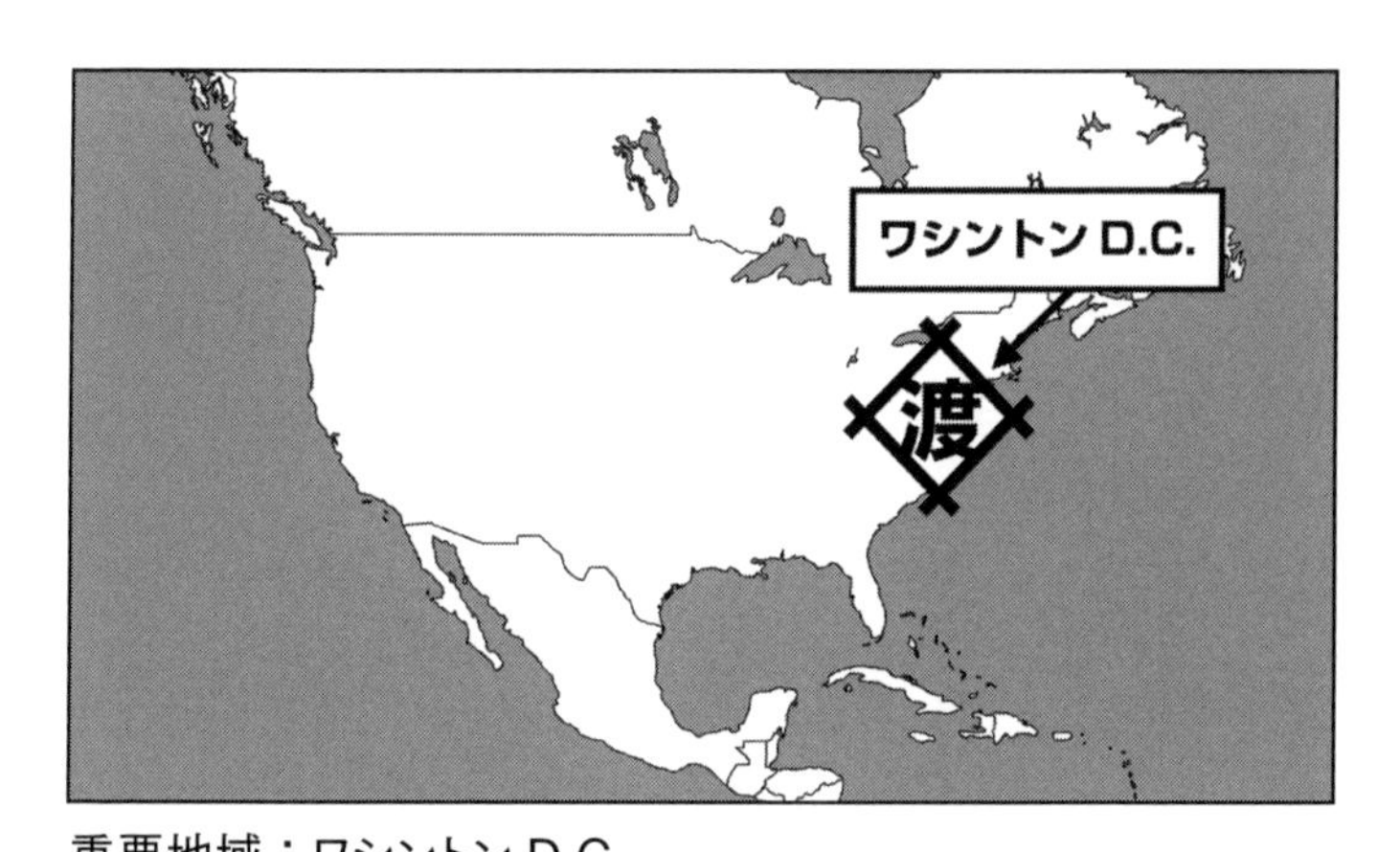

重要地域：ワシントンD.C.

ューバから逃げてきた人たちが多く住んでいます。
そして、ちょっとネオコン（新保守主義）的な傾向がある州です。「海外の共産主義や社会主義を許さない」という感じの人たちがいるところです。そこの州知事であるロン・デサンティスさんが共和党内でトランプさんを倒して、次いでにジョー・バイデン大統領も倒して新たな大統領になると、世界情勢も大きく変わるのではないかと思います。

ちなみにバイデン大統領も二〇二四年の大統領選への出馬準備をしています。バイデンさんを支えているジム・クライバーンというアフリカ系の民主党議員がいます。この人がバイデン大統領の一番の支持者です。クライバーン議員は民主党の下院執行部の中にいます。クライバーン議員は民主党内の大統領予備選挙の初戦をサウスカロライナ州で行うように話をしています。クライバーン議員はサウスカロライナ州選出の議員で強い影響力を持っています。今までは白人が多いアイオワ州を予備選挙の初戦の場にしていたのですが、次回からは黒人が多いサウスカロライナ州を予備選挙の初戦の場にするのです。予備選挙の初戦の開催場所を変更する意味は、バイデン大統領がもう一期大統領をやりたいという話につながります。そのような権力闘争というものが、すでにスタートしているのが、今のアメリカの状況です。

そして、個別講演の際にアメリカの債務上限の話をしましたが、そのような状況と事実上連携しているのが、もう一つの重要地域に取り上げた「イラン」になります。

イランに関してバイデン政権は、イラン核合意について「再核合意したいよね」という姿勢は明らかで、今までイランと交渉を進めていました。しかし、二〇二二年九月にイラン国内でスカーフを適切に着けていなかったという理由で道徳警察に拘束された女性が数日後に死亡し、それをきっかけに民衆が抗議デモを起こした事件などがあり、人権問題が深刻化しています。また、イラン側は核開発をやめるつもりが今のところ全くないため、再核合意は頓挫しそうになっています。

頓挫することが良いとは言いませんが、さらにアメリカとイランがもめる事態になった

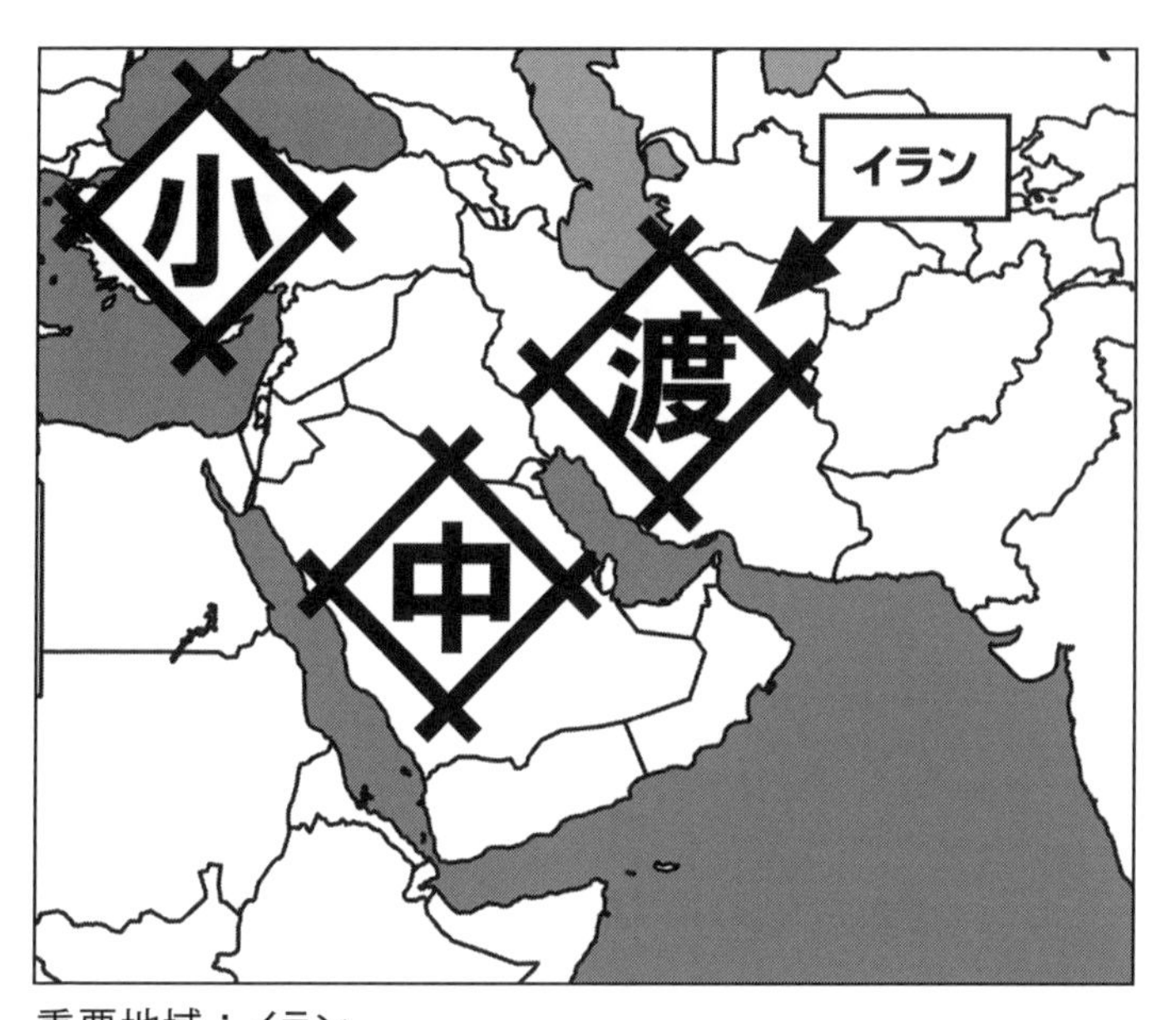

重要地域：イラン

と考えてみます。共和党の人たちはイランに対して、「絶対悪」だと思っているので、事態がもめるとイランにかかりきりになり、本来対応しなければいけない中国への対中政策が遅れてしまう可能性があると思っています。ロシアによるウクライナ侵攻に手間を取られているようにです。ですので、イラン情勢次第で、我々日本も影響を受けてくると考えています。

江崎

このイランの話は、本当に我が国にとっても重要な話になります。アメリカの共和党や米軍がイランに対して示す強烈な反発というのは、日本で中国や韓国に対していろいろ反発している人とは、比じゃないぐらい強烈です。ですから、イラン情勢が動き始めると中国の問題がすっ飛んでしまうということなんですね。

大事なのは、このような地球儀を俯瞰した外交を安倍元総理はしていたわけです。世界各国いろいろと紛争の火種が山ほどあるんですね。ですが、同時にいくつもの対応はできないので、どこかで火種が起きると他のところが疎かになってしまいます。世界各国の関係は近くなってしまっているので、地球儀を見て、どのように状況を見て考えなければいけないのかが重要になります。このような視点で、実はチャイナも考えています。国際的にどの国にどういう手を打ったらアメリカは振り回されて、台湾への関心とかが疎かになるのかを考えているわけです。そういう意味で中国の専門家である中川先生にお話しをいただきたいと思います。中国の専門家なのに、なぜか重要地域に「サウジアラビア」と「アルゼンチン」を挙げていますが、中川先生、よろしくお願いいたします。

中川

二〇二二年のフォーラムでは、マニアックなところを挙げすぎましたので反省しました。前回は中国雲南省の徳宏タイ族チンポー族自治州に位置する瑞麗市とかを重要地域に挙げさせていただきましたが、今回はアルゼンチンと中東のサウジアラビアになります。

まずアルゼンチンについてお話します。アルゼンチンは南米のラテンアメリカに属する国になります。篠田先生が個別講演の際に、中国の一帯一路を図で挙げていただきましたが、一帯一路というのは、いわゆる現代版のシルクロードです。チャイナから始まってヨーロッパの方に向かって陸路と海上航路で物流ルートをつなぐという構想です。実はこの一帯一路にアルゼンチンもかかわってくるというお話をしていきます。

それは何かというと、二〇二二年二月に中国の北京で冬季オリンピック・パラリンピックが開催されましたが、同時期にアルゼンチンから、アルベルト・フェルナンデス大統領が訪中し、中国の習近平国家主席との首脳会談が行われました。その会談の中でアルゼンチンは一帯一路への参加を合意しました。日本人からすると「南米にシルクロードが?」と疑問に思うのですが、彼らの頭の中では、「もはや南米もシルクロードに含まれるだろう」みたいなところがあるらしく、結果として合意に至ったということです。

なぜ南米のアルゼンチンに一帯一路への参加を求めたのかというと、南米諸国からの参加は初めてではなく、実は二〇一七年に南米のパナマが一対一路への参加表明をしたこと

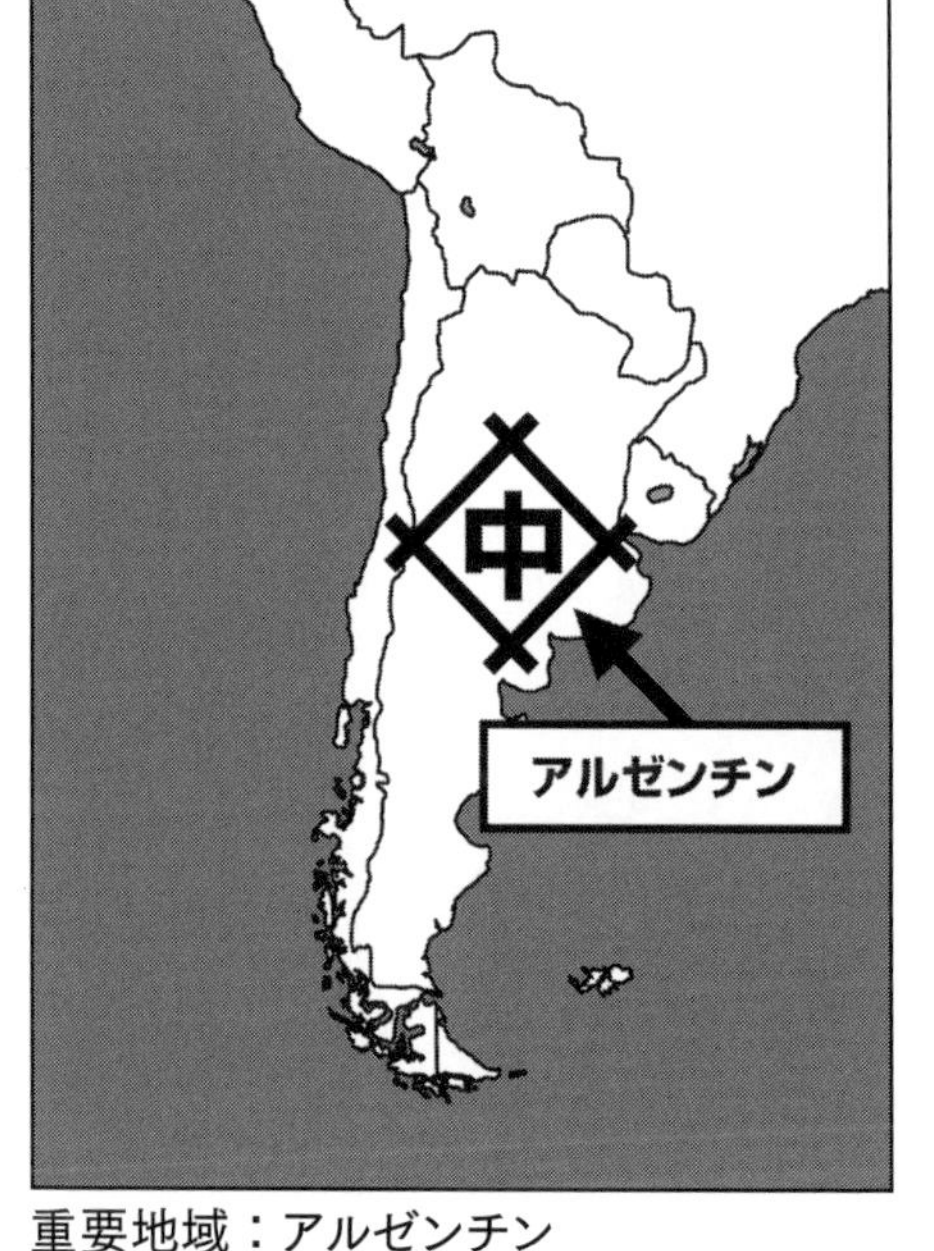

重要地域：アルゼンチン

を皮切りに、各国が手を上げていたという経緯があります。パナマは台湾との国交があったにもかかわらず、二〇一七年、突然、中国との国交樹立を発表して台湾との国交を断絶し、一帯一路への参加を表明しました。一帯一路に関する合意をチャイナとラテンアメリカ諸国が結んでいるということになると、一帯一路はチャイナだけの独りよがりではなくて、ラテンアメリカ諸国にとっても、「自分たちの利益のために一帯一路を使っていこうぜ」というようなところが見え隠れしてきます。篠田先生が講演で一帯一路の図を出しましたが、ラテンアメリカは当然ながら載っていないわけです。ですが、一帯一路によって世界的な覇権を目指す彼らの概念はぶっ飛んでいってしまい、ユーラシア大陸を飛び越えてしまっています。

もう一つアルゼンチンに関して重要なところがあります。二〇一五年にアルゼンチン議会は中国の衛星追跡局の建設を批准しました。チャイナが初めて海外に建設する衛星追跡局になります。当然ながらチャイナとしては見返りにアルゼンチンと協力協定を結びました。このようにアルゼンチンは結構チャイナと関係がありまして、一帯一路ではラテンアメリカ諸国が飛び地のように入っていますが、その象徴の国として「アルゼンチン」を取り上げました。

もう一つの重要地域に挙げた「サウジアラビア」ですが、こちらも一帯一路にかかわってきます。我々の中でシルクロードをイメージしたときに、サウジアラビアは一帯一路の沿線国家として当然ながら入っていることはわかりやすいと思います。ただし、チャイナとしては中東地域、例えばイランやアフガニスタンなどは開発が難しいところなので、内政不干渉であったり、危ないところに手を出さないという原則がありました。

皆さんの記憶にも新しいと思いますが、アメリカは二〇二一年八月にアフガニスタンか

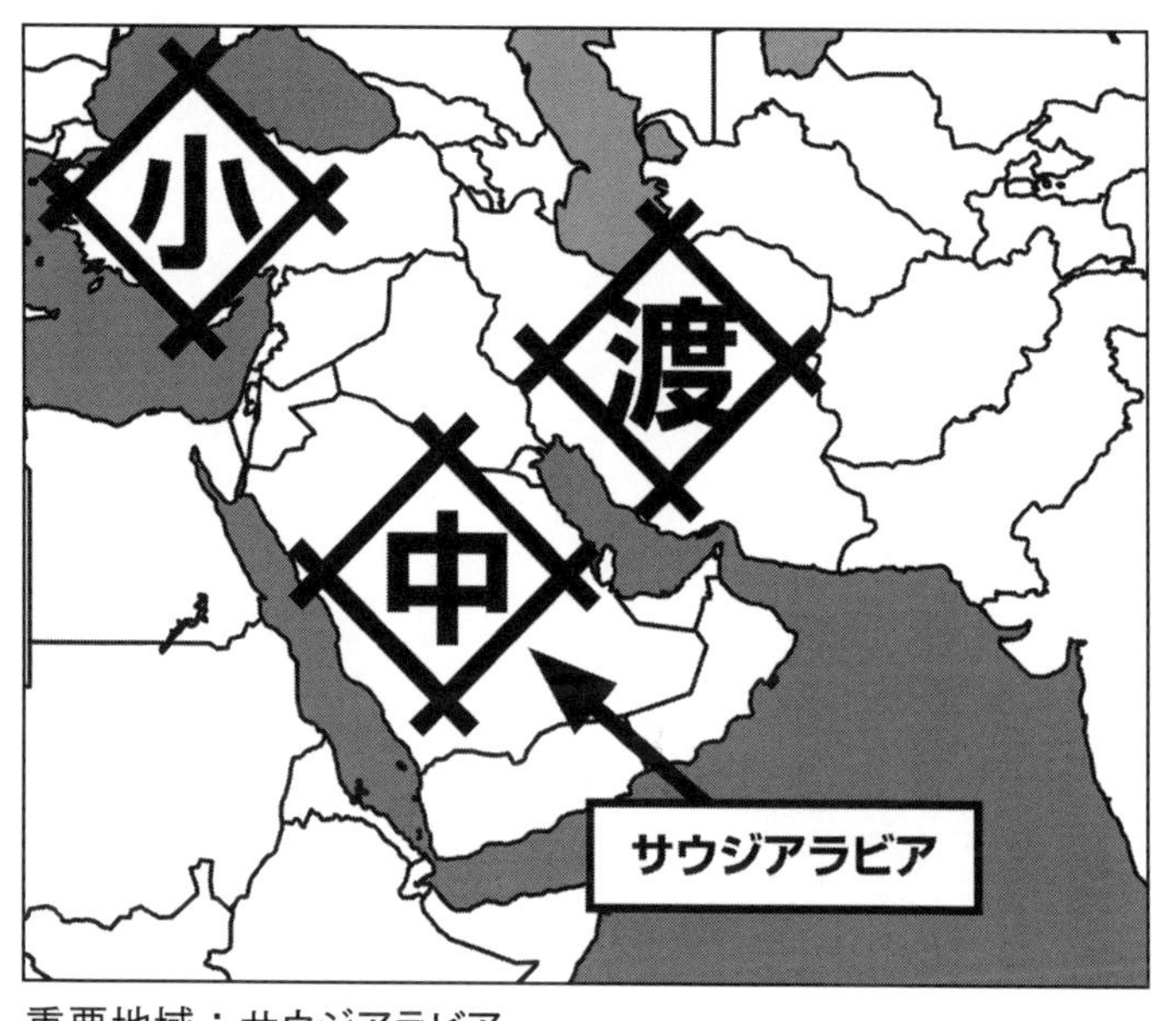

重要地域：サウジアラビア

ら米軍を撤退させました。その後チャイナは影響力を拡大したいという考えと、自分たちの安全保障を考えて手を付けないと危ないという意味を含めて行動していきます。最近、チャイナが中東にシフトしてきたことが表れたのが、二〇二二年十二月の中国サウジアラビア首脳会談です。中東へ一帯一路を広める動きは、今までは消極的でしたが、どんどん入るようになってきたのです。今回はサウジアラビアと戦略的包括協定を締結した形です。

そこにロシアもかかわってきます。今までの中東地域は、米露という強いプレーヤーがいたのでチャイナがあまり介入しなかったのですが、二〇二二年からのロシアによるウクライナ侵攻で、ロシアの外交力は低下しています。アメリカもアフガニスタンから米軍を撤退させたという状況もありまして、チャイナが「自分たちもそろそろやるか」という姿勢になり、中東への力点を強めているのです。そこで、一帯一路の拡張というのが「アルゼンチン」と「サウジアラビア」に表れていまして、今回の重要地域に挙げさせていただきました。（※中川注：まさに本イベントの直後に、イランとサウジアラビアが「北京の仲介によって」国交回復したというニュースが飛び込んできました。本イベントではこれを予見する如く解像度の高い議論ができたと思います。手前みそ。）

江崎

ありがとうございます。サウジアラビアと中国の連携が深まっているという問題は、アメリカではかなり大きなニュースになっています。アメリカの伝統的な中東政策は、サウジアラビアを拠点にしているのですが、これだけ中国とサウジアラビアの関係がつながってくると、果たして米軍は、サウジアラビアに最新鋭の戦闘機をこれから渡せるのか、という話になります。これは結構微妙な話で、とりわけ米軍の関係者はかなり中国の動きに対して神経質になっています。そうは言っても、当面の間は台湾や沖縄を含めた中国に対する兵力のリソースを割かなければいけないため、中東にかまけている場合ではないというのが米軍の状況です。

そういう意味では台湾は大きな問題になるのですが、篠田先生は重要地域として「ウクライナ」と「台湾」をプロットされています。篠田先生から、こちらの二カ所を注目した理由についてお話いただけますでしょうか。

篠田

今日の個別講演の際に大きな話をさせていただきましたので、それに対応して重要地域「ウクライナ」と「台湾」を二点挙げさせていただきました。ウクライナにつきましては、岡部先生がお話された通りだと思いますが、私は軍事のことはよくわからないので、ロシアによるウクライナ侵攻が長期化するのか、今年で終わるのかはわかりません。これはかなり偶発的要素や、あるいは作戦遂行能力といった人間的な要素も絡むので基本的にはわからない。ただ、学者として関心があるのは、どうやって終わっていくのか。なかなか終わらない戦争でも千年続く戦争というのは滅多にないですから、どこかで終わるのが

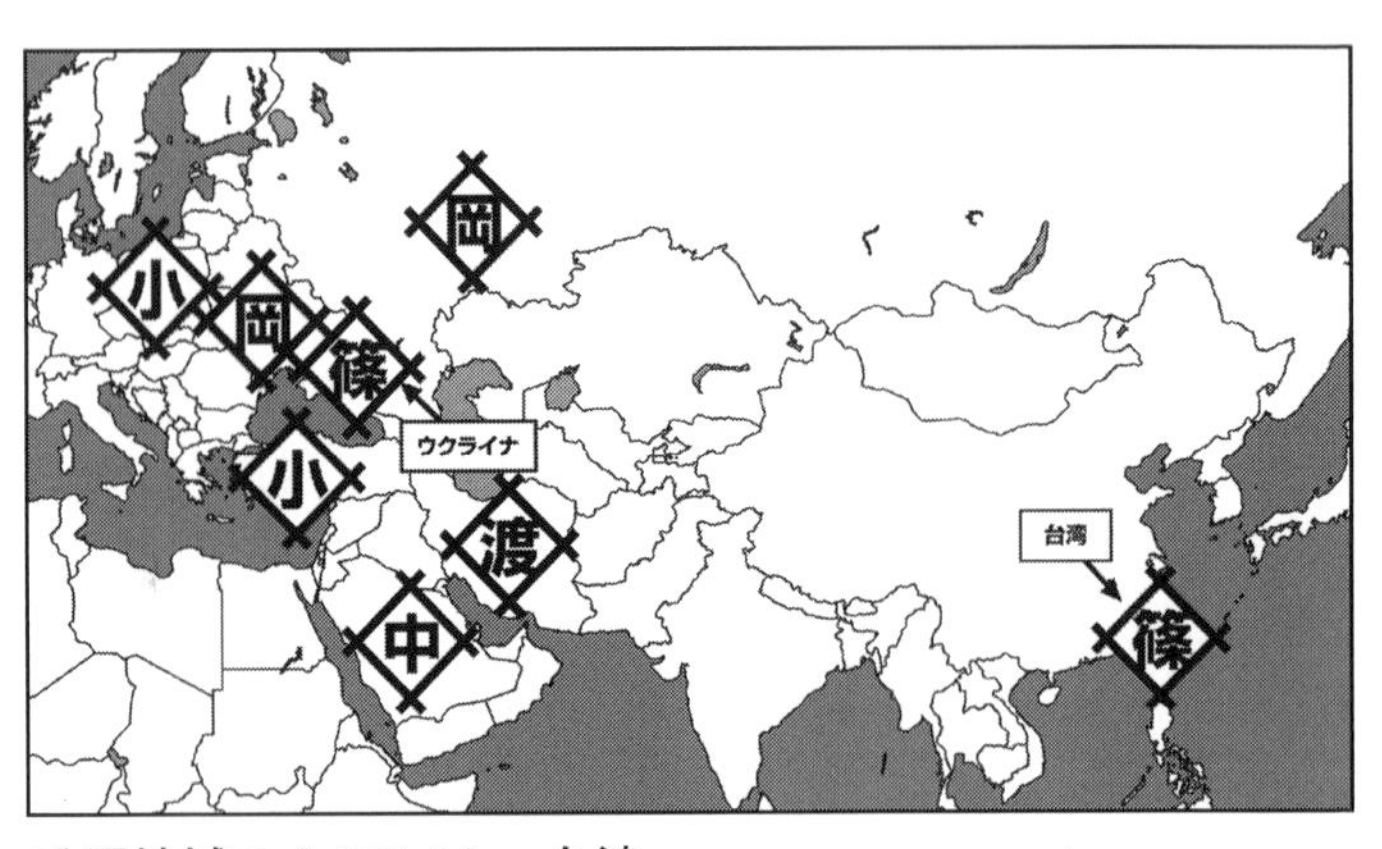

重要地域：ウクライナ・台湾

大体の蓋然性ですね。どうやって終わるのかというう、ここに大きなせめぎ合いがあります。ロシアとしては、ロシアの影響圏を拡張・拡大する形を確立したい。それがキーウを含むのかどうかというと、なるべく含みたいと思っているのでしょうが、最終的に含まなくても影響圏を拡張・拡大してウクライナに何かしらの痕跡を残して確立したいと、ロシアは思っているわけです。

ウクライナおよび支援をしているNATO構成諸国は、伝統的にウクライナ全体を緩衝地帯として見ています。ヨーロッパの安全保障を全体的に監督・管理をしようとしていたところ、今回の事態に至りました。NATO構成諸国は引き続き抑止体制で、一切攻め込ませないという防衛ラインを維持しつつ、分断してしまっている緩衝国であるウクライナを、どのような形でロシアに対する封じ込めを利かせた形で秩序、安全保障を回復していくのか、NATO構成諸国側の、NATO拡大とは違う大きな問いになっています。

戦争が終わった翌日にウクライナがNATOに入れるみたいなことが、できれば良いとは思いますが、そんなことをやってたら戦争は本当に終わりません。戦争が継続中だとNATO条約の第五条の集団防衛が発動して大変なことになりかねないので、NATO構成国はウクライナのNATO加盟についてこないでしょう。

現在、キーウ安全保障協約という文書で準同盟国としての扱いが表現されています。NATOには入れないが、NATO構成諸国の主要国が積極的な安全保障の傘をかけて、ロシアの拡張政策を封じ込めていき、最前線にウクライナを位置づける路線が明確です。本当に実行可能性のある形で拡張できるのかというのは、現在のところはやらざるを得ないだろうということで、目標は決まっていますが、やれるかどうかはわからない。戦局の行方もそこから逆算をして、おそらく決まっていきます。戦争が終われないという感覚があるのは、今ここで戦争をやめたらロシアを封じ込めできないと考えているからやめられないのです。ウクライナの領地がどこまで回復するのかというのは、どこまで戦局が進んだらロシアを封じ込めできるのかという問いと、表裏一体の関係にあると思います。安全保障制度をどうやって作り変えるのかという、かなり知的な作業とも表裏一体の関係にあります。ＮＡＴＯ構成諸国あるいは自由主義陣営の帰趨と言いますか。今後の世界全体の安全保障施策の行方にかかわってくるということです。

もう一つの重要地域に挙げた「台湾」は、何も面白みのないところなんですけど、中国が米中対立の中で大きな存在感を見せて、超大国の片側として存在していますが。二十一世紀の国際政治の基本的な全体構造は、アメリカを中心とする自由主義諸国と中国という超大国の影響圏のせめぎ合いで構成されています。その中で台湾問題という、中国の一国二制度的な問題があるわけです。地政学的にいうと、中国が東アジアに勢力圏を拡張・確立するか、ないしは、アメリカが率いる海洋国家連合が引き続き中国の海洋進出を抑えるか。中国は、「九段線（きゅうだんせん）」という海に対する影響圏の考え方を持っています。海にも自分の勢力圏があるという考え方が九段線であり、その中で台湾は絶対に譲れない一線であるということです。

しかし、海洋国家連合側からしてみると台湾が簡単に中国の一部になってしまったら、九段線の完成に近づく話ですから絶対に認められません。そのようなせめぎ合いが起こっていく中で、すぐに戦争になるという話ではないものの、いろいろな選挙をめぐる動きなどに干渉、その他のことも含めてかなり活発な動きがあります。かなり世界的な全体動向に大きな影響を及ぼしていくのだろうと思っています。

江崎　ありがとうございます。国際政治学者として篠田先生のお話は理論に基づいた議論で本当に聞かせるものがあります。

ロシアのウクライナ侵攻を世界はどう見ているのか

江崎　これからは、ご登壇いただいている先生方、相互に話を聞いていきながら議論を進めたいと思いますが、ウクライナの戦争の問題に関してＮＡＴＯ側は、ウクライナをロシアとのバッファー（緩衝地帯）に考えていたわけですね。しかし、ロシア側はバッファーを許さないとしてウクライナに侵攻した。それに対して自由主義陣営もロシアのやっていることは許さないと言っている。では、ロシアのウクライナ侵攻が終結後にウクライナを再びバッファーとするのか。準同盟国扱いにしてウクライナの安全を保障するところまで踏み込むのか。その辺りが今後の自由主義陣営の大きな課題になるわけです。この大きな課題に関して、アメリカの共和党系、民主党系、バイデン政権側も含めて、今どのような議論がアメリカでは行われているのか。渡瀬先生にお聞きしてよろしいでしょうか。

渡瀬

そうですね。僕はこの問題について、どのような落としどころがあるのか、ハッキリとわかりますと言えるほど知っているわけではありません。今のところは、落としどころがないというのが一番正しいのではないでしょうか。いろいろな人がいろいろなことを言っている段階かなと思います。

民主党のバイデン政権側の選挙の観点からお話をすると、今の民主党内の最大派閥は「Congressional Progressive Caucus」という左派による派閥です。この人たちは、ロシアのウクライナ侵攻に関して、ウクライナへの武器供与を行い、ウォロディミル・ゼレンスキー大統領やウクライナ国民を応援する立場をとっています。ですが、ウクライナに米軍を絶対に干渉させない。ウクライナはＮＡＴＯ加盟国ではないため、ＮＡＴＯ加盟国が攻めこまれない限り、米軍をウクライナに派兵しないとしています。二〇二二年一月二十五日にホワイトハウスは、バイデン大統領は単独でウクライナに派兵する意向は持っていないと表明しましたが、民主党左派は、今もバイデン政権に守らせているわけです。

アメリカ国内の派閥的な議論からいうと、ウクライナをNATO的な意味で準同盟国にするのかというと、言葉の定義もありますが、そういう扱いは、バイデン政権中はハードルがかなり高いのではないかと思います。

共和党に関しては、そもそもあまりウクライナ問題に積極的ではないと思います。ウクライナへの軍事支援の予算の透明化を訴えて、二〇二二年の中間選挙をやっていたわけですから、そういう意味で行くと、アメリカは一歩腰が引けているのではないかと思います。だからこそ、逆に落としどころがよくわからないのかなと思います。

江崎

アメリカのバイデン政権側の、軍事支援は一生懸命やるけれども、そこから先には踏み込まないという姿勢は、「ウクライナ問題は、そもそもヨーロッパ側の問題だよね」という話であって、とりわけ「ドイツはちゃんと対応しろ」と言われている。ドイツは周りからいろいろ言われてウクライナに戦車を供与したわけですが、小野先生、この辺りをヨーロッパの国々はどのように見ているのか。その辺の内情をお話していただいてよろしいでしょうか。

小野

ありがとうございます。先ほどEUの話もさせていただきましたが、EUとNATOに被ってくる国があります。その中で、それぞれの国の温度差というのはかなり激しいものです。例えばフランスは、ウクライナで発生している現在の紛争に対して、どの程度コミットするのかという話のときに、自分たちの年金の受給年齢が上がる方が問題であると言っています。

イタリアの場合は、二〇二三年二月九日にフランスのパリで行われたウクライナのゼレンスキー大統領との晩餐会に、ジョルジャ・メローニ首相が招待されなかったため「なんで私たちを呼ばないの！」みたいな感じで反発しています。このように一枚岩のように見えていても、実は全くそうではないのがEUです。

その中でも責任ある立場にいるのがドイツでしょう。エネルギーをロシアから供給してもらいながらも「EUの盟主です」みたいな顔をしています。ドイツがロシア産の天然ガスを輸入する「ノルドストリーム1」と「ノルドストリーム2」という海底パイプラインがあるのですが、いつから供給が始まったのかというと結構昔からの話になります。今のドイツのSPD（ドイツ社会民主党）のオラフ・ショルツ首相の前の首相であった、CDU（キリスト教民主同盟）のアンゲラ・メルケル前首相が進めていました。メルケル前首相もやっていたけれども、「いやいや、その先鞭をつけたのは、SPDのゲアハルト・シュレーダー元首相のときだよね」「いや、CDUのヘルムート・コール元首相、あなたのときからやっているよね」みたいな話にドイツではなっています。

ドイツ以外のヨーロッパの国々では、結構、醒めた見方をしているのが実情で、「ドイツが何とかしなさい」と言っているところです。実は、みんなドイツが嫌いですから。

江崎

ヨーロッパの国々の議論がそういう状況の中で、日本の岸田文雄政権はウクライナ問題を一生懸命やっていくということで、僕もそれはやるべきだとは思います。一方で、アメリカもヨーロッパもドイツを含めてグダグダな状況を、チャイナはこれをどのように分析していいるのか。その辺のところを中川先生にお話しをお願いしていいですか。

中川　二〇二二年のフォーラムでもお話をしている感じがして、重複になって恐縮なんですが、結局、チャイナはロシアにもウクライナにも、どちらにもついていません。実は中立の立場をとるというのは難易度が高い外交技術です。中立ですから、ロシアとウクライナの両国から中立と見られなければいけない。チャイナは中立の立場を二〇二二年二月二十四日のロシアによるウクライナ侵攻開始から、ずっとチャレンジをしてきて、最初の一、二カ月で何となく上手くいきそうだなということになったのです。その次に展開チャレンジしたのが、中立化をした立場を活用した国際社会における「中立の盟主化」です。BRICSというフレームワークを使って動く形になっていきます。ですので、この一年間のチャイナの動きを見ていますと「是非曲直」という言葉で彼らが公式ステートメントで表現している状態で、ずっと一貫したことを言いながら、要はどちらにもつかないで「お互いの主権で勝手にやってくれ」ということで突き放していた形になります。

先ほどお話したアルゼンチンも「BRICSに入りたい」と二〇二二年七月に表明をし

て、チャイナ側も「私たちもプッシュしますよ」みたいなことを言っています。ＢＲＩＣＳには、ロシアも入っていますが、このＢＲＩＣＳという一度は死んでいたフレームワークを、ゾンビを蘇らせるように使いこなしている状況があります。このようにチャイナは、ウクライナに関するところで中立を標榜しつつ、米欧の目がウクライナとロシアに向いている間に別地域で積極的な外交に動いているかなという気がします。

江崎
要は、中国は今回のロシアとウクライナの戦争に関して、どちらに関与するのかではなくて、自分たちはその状況を使って、自分たちの勢力圏なり、国際的な立ち位置をどうやって強めるのかという独自の動きをしている。このような捉え方だと思うのですが、この辺の中国の動きについて、日本はどのようにすべきなのか。篠田先生、その辺をどのようにお考えになっていらっしゃるのか。お話をお聞かせいただけると有難いです。

篠田
日本では、二〇二二年十二月十六日に国家安全保障戦略三文書（「国家安全保障戦略」

（「国家防衛戦略」「防衛力整備計画」）が閣議決定されました。防衛費も二倍にするという話ですが、お金を上手く使えるのか、本当のところはよくわからないです。初期投資のほとんどは老朽化した施設の刷新のようなものに使われます。老朽化しているよりも新しくしたほうがいいに決まっていますが、かなり福利厚生的な部分を含んでいます。本当に必要な防衛力の整備というのは、どのくらいやって、どのようにできるのかは、かなり専門家でないとわからない。ないしは、もう少し中長期的な視点に立ってみないとわからない。

他方、現在の防衛力では足りないというコンセンサスができ上がったのは、それはそれで大きいことではあります。すでに中国の九段線エリアに対する影響圏・勢力圏の拡張政策を封じ込める能力を失いつつあるという現状認識の中で、抑止政策を取り続けるために日本側の能力も上げなければいけないというコンセンサスはでき上がっていると思います。軍事同盟パートナーであるアメリカの相対的な力の低下という状況もある中で、引き続き抑止政策を維持するためには、日本の防衛能力の整備がかかせないということは、一つ重要であると思います。ですが、どこまでチキンレースみたいなことを続けるのかというと、中国との軍拡競争を果てしなく続けていくわけにはいかないので、どこかでもう少し穏健な管理体制にいくと思います。

ただし、その前に一回、抑止体制を立て直す必要があるという見取り図の中で、外交安全保障政策を五年、十年、二十年と、これからはビジョンを持って作っていかなければいけないところが、試されていることなんだと思います。これを私がどう思っているかというと、わかりません。中国の経済状況や軍事力の整備状況も一気に萎むということはないものの、特に新型コロナウイルス感染症の世界的流行以降、経済情勢もいろいろな見方や状況が出てきています。少子化も進み始めている中で、五年から十年のスパンで本当に中国が圧倒的に有利になっていくのかは、細かく見ていくといろいろな意見がありますので、私にはよくわかりません。いずれにせよ、相手の動向を見ながら、自国が単純にやられないように慎重な外交安全保障政策を長期的、中期的、短期的なスパンで、それぞれいろいろなシナリオを考えながら整備していかなければいけないということだと思います。

江崎

ありがとうございます。篠田先生がおっしゃったように、ウクライナの問題にしても、台湾問題にしても、やはり自由主義陣営側が相対的に弱ってきている。とりわけ超大国と言われているアメリカは、経済的なことも含めてパワーが落ちてきている。バイデン政権側は台湾問題の一つをとっても、同盟国の力を借りなければいけない状況になってきている。バイデン政権の国家安全保障戦略に関する公文書でも認めざるを得ない状況です。

そのような中で本当に頼りになる国はどこなのかというと、「そんなことはないだろう」と言われるかもしれませんが、やはり日本ということになってくるわけです。その日本が、それなりの力を持っていくときに、日本の国力強化やウクライナ問題への対応に対して、非常に大きなポイントになる問題がありました。

それが日本経済の動向を大きく左右する「日銀人事」です。日本政府が日銀人事をどうしていくべきなのか、この辺りのお話を倉山先生、お願いいたします。

倉山

その話題は絶対に振られると思っていました。まず日本の政治は、安倍元首相でも岸田首相でも、そんなにやることは変わりません。民主党政権の皆さんが、訳の分からないことをやったという苦い記憶があるわけですが、日本の政治には、そんなに幅がありません。その中で、どれぐらいまともなことが実現できるのかというのが日本の状況です。

与党の中にも変なことをやらせようとする人はいますが、日本は経済力をつけて、軍事力をつけて、外交力を発揮するという基本をまずはやらなければいけません。米中の激しいストラグル（蠢争）が続く状況で、我々が発言力を発揮するためには力を持たなければいけません。

第二次世界大戦後の日本は、良い時で「経済大国」だったんですよ。経済大国ということは、経済が落ち込んだら大国ではないということですし、そもそも「ナントカ大国」と言っている時点で大国ではありません。ロシアのプーチン大統領なんか、アメリカと中国以外は主権国家だと思っていません。イギリスとドイツですら主権国家と思われていない。日本なんて「アメリカと違うことを日本は言えるのですか？」ぐらいの扱いです。アメリカや中国も本当のところは、力のあるものとしか交渉をしないのは当たり前の話になります。それを何とか外交で上手くやろうと思っても限界があります。外交というのは、軍事力がなければ無力です。

軍事力をつけるためには経済力をつけなければいけないということで、私は狂ったように日本銀行の総裁人事に関して言い続けてきました。これが意味するところはさておき、先に結論だけ言います。二〇二三年四月に日銀の新総裁に就任すると言われている経済学者の植田和男氏は、あだ名が「カメレオン」です。強い者の言う通りにするようです。ということは、国民世論の力が強くなると国民の方を向くが、国民が無関心になると一部の特定の人たちの勢力の方を向くようです。私は常に「どうなるかよりも、どうするか」と言い続けてきました。今回の日銀総裁人事は「どうするか」という意味において、我々国民ができる幅が増えた人事ではないかと思いながら見ています。

今の経済状況で訳が分からない経済政策をやってしまうと、何だかんだと十年間に渡って景気回復軌道に乗ってきた日本経済が駄目になってしまいます。あと少しでデフレから脱却できる。そのあと少しがどれくらいなのか、救国シンクタンクの今後発信する経済関係の最重要点だと思っております。兎にも角にもあと半年、この景気回復を続けるのか、一年続けるのか、二年続けるのか、一カ月で止めてしまうのか、植田総裁になった瞬間に止めてしまうのかで全然違ってくるわけです。

ですので、「経済・軍事・外交」という順番を間違えると大変なことになります。そもそも日本は経済大国に戻ったところで、国際的な発言力は小さいのです。本当の日本の立ち位置を理解し、本当の問題をしっかりと救国に導いていくために、世界の中で何が起きているのかということを知らなければならないと思います。

江崎

ありがとうございます。日本の立ち位置について、僕は倉山先生と若干意見が違っていまして、アメリカの相対的な力の低下と中国の相対的な力の向上という状況で、日本の立ち位置はそれなりに上がってきていると思っています。

ヨーロッパにおいてもイギリスなどが日英同盟を復活させようとしており、ヨーロッパ全体も地盤沈下してきている状況の中で、相対的に日本の存在がクローズアップされてきていると見ています。その辺の分析の見方がちょっと違うわけです。

そして、ウクライナ戦争の問題もどうなるのか。アメリカの内部はぐちゃぐちゃ。ヨーロッパもぐちゃぐちゃの状況で中国はしたたかに勢力を拡大しています。この辺の動きをウクライナ側は、どのように見ているのか。岡部先生からお話をいただいてもよろしいですか。

岡部

ありがとうございます。実はフォーラム前の午前中は神戸のＮＨＫカルチャーセンターで講演をしてきました。「侵攻から1年ーウクライナ・ロシア戦争を振り返るー」というテーマで、一年前の世界を図にして思い出そうという話をしました。先ほどアメリカの話が出ましたが、二〇二二年二月二十四日、ロシアによるウクライナ侵攻が始まる直前のアメリカ国内はどういう状況であったのかというと、共和党側の数人の議員はかなり強硬に「ロシアに先制して制裁を始めるべきだ」と言っていました。それに対してバイデン大統領は「それをやったら戦争になるから、それだけはやめてくれ」と言いまして、アメリカ国内では政党間の交渉になって結論が出ない状況でした。そして、二〇二一年十二月八日、バイデン大統領は報道陣のぶら下がり取材に答えたときに、ウクライナ防衛のための米軍派遣について「テーブルにはない」と発言し、絶対にウクライナへの派兵はしませんと言ってしまったのです。この発言がロシアのウクライナ侵攻につながったのではないかとも思います。

そして、そのころのイギリスはどうしていたのかというと。皆さんすっかり忘れていると思いますが、当時のボリス・ジョンソン首相は、新型コロナウイルス感染症対策のロックダウン（都市封鎖）をしていた時期に、首相官邸で毎週金曜日に開催していたワインパーティーが批判をされて辞任寸前の状況でした。私はジョンソン首相ほど、ロシアのウクライナ侵攻で得をした人はいないのではないかと正直思います。ウクライナ侵攻後のジヨンソン首相は、何か急に「自由世界の盟主」みたいに出てきたわけです。

また、ロシアのウクライナ侵攻前からEUの中の思惑というのはバラバラですけど、ウクライナ侵攻前より今のほうがEUはウクライナ側についているので、前よりはマシだなと、おそらくウクライナ側も感じていると思います。

そして、今日は倉山先生から課題を一ついただいておりまして、個別講演の中ではあまり触れていなかったのですが、「ゼレンスキー大統領は何を考えているのか」という課題です。これは日本のメディアにおいて識者の方も言わないのですが、僕がその質問を聞かれたら、一言で答えると「ゼレンスキー大統領は何も考えていません」と答えます。

なぜかというと、ゼレンスキー大統領はポピュリスト（大衆迎合主義）ではないかと紹介されることがよくあります。ですが、これはあまり正確ではなくて、彼はオポチュニスト（日和見主義）です。機会主義者です。それはなぜかというと、ゼレンスキー大統領は元々タレントさんだからです。有利な相手に付くでしょうし、良い選択肢があればそちらを選んでいいきます。そのため、今回の戦争が始まるまで、彼の政権運営は必ずしも上手くはなかったです。例えば中国にウクライナ製の航空機用エンジンの技術流出の懸念が発生したときに、ウクライナ企業「モトール・シーチ」の国有化をゼレンスキー大統領は決定しました。これは中国への軍事技術流出を恐れたアメリカの反対の影響があると言われています。このように政権運営にはいろいろと問題があったわけです。

ですが、今回の戦争が始まってから良かった点が二つありました。それは何かというと、ゼレンスキー大統領は芸能人出身ですので反射神経が抜群に良くて、受け答えが上手いのです。パッと言われてパッと返すという能力に長けている。だからこそ刻々と状況が変化する中で対応ができています。アメリカの人気ドラマに『24 -TWENTY FOUR-』というドラマがあります。二十四時間の間にいろいろなことが起きてしまうドラマです。ドラマのような感じの状況でもゼレンスキー大統領は対応していけるのが、彼の良かった点の一つです。

もう一つの良かった点は、ロシア人の裏側をよく知っているという点です。ゼレンスキー大統領はもともとロシアの芸能界でも活躍をしていました。ロシアの芸能界はマフィアなども暗躍している世界ですので、日本よりもよっぽどドロドロしています。それを含めて、ゼレンスキー大統領はロシア人をよく知っているので対処ができているのではないかと、そういう風に感じております。

江崎　そういうウクライナから見て日本はどのように見られていますか？

岡部　凄く良い質問です。存在感が無さそうに見えて意外にあるのが日本です。二〇二三年二月七日、大阪府大阪市中央公会堂で北方四島返還を求める会合が開かれて講演をしました。実は、二〇二二年十月七日のウクライナでは、ウクライナ大統領令第六九二号『日本の北方領土問題』が発出されていました。「北方領土は日本の領土である」という決議をウクライナの国会は出しており、ゼレンスキー大統領も声明を出したのです。ウクライナの人たちは、日本が軍事支援をできない中でも比較的無理をして、物資を送っていることを知っています。評価をされているのは間違いないです。

ですが、日本の外務省はウクライナ全土を危険レベル四（退避勧告）にしています。そのため、あまり渡航ができない状況です。大学教員もなかなか行けませんし、ＪＩＣＡ（国際協力機構）もなかなか活動がしにくい。そのような状況で、我らがデヴィ夫人（タレント）が、二〇二三年一月下旬にウクライナに支援物資を届けに行ってくれました。で

すので、もう少し落ち着いている地域についてては、人を送り込んで存在感を見せること
も、外務省を含めて必要ではないかと感じております。

ロシアのウクライナ侵攻から考える日本の課題

江崎　その辺りの、日本政府からウクライナに人を送る話などは、篠田先生、実際どうなって
いるのでしょうか。

篠田　大臣や政府の高官ですらウクライナに行っていませんので、ちょっと望みは薄いかなと
思います。

江崎　やはり岸田首相がウクライナに行けば、そのような状況は変わるのでしょうか？

この間、防衛省の幹部と話をしましたが、せめて自衛隊の医官など、医療チームのメンバーを人道支援の観点からウクライナに送るのは良いのではないかと話がありました。

篠田

大きな政治判断になりますね。そういう歴史を持っていませんから。唯一の例外と思われるのがイラク特措法とかテロ特措法です。二〇〇三年に成立したイラク特措法では、インド洋で各国の船舶に燃料補給支援やイラク国内で医療活動などを自衛隊が行いました。自衛隊は自己完結した組織として、かなり踏み込んだ活動をしましたが、自衛隊を送り込むために法律を新たに一本作ったのです。同盟国との強烈な折衝があったうえでやったのことなので、現状のウクライナ問題に関しては、そこまでの状況には来ていないかなと、客観的な評価としては思います。

他方、政治的なリーダーシップがあればやれないことはないと思いますので、岸田首相がリーダーシップを発揮して、やろうとすればやれるのではないかと思います。二〇二三年五月には、G7広島サミットが開催されますから、モメンタムがあると思えばやれるでしょうけど、官邸の能力が今はちょっと不足しているかなという印象が否めないですね。

岸田首相のリーダーシップで「やる」と言ってやれるものだったらやると思いますが、余程の準備がいります。慣れていない人たちが、相手側に迷惑をかけないように人を送り込むのは、やはり簡単なことではありません。「この件は彼が詳しいから、彼に仕切らせよう」というような人がいないわけです。

江崎　やっぱり、いないですか。

篠田　警視庁の人とか、官邸の中に入っている担当の人がいないという意味ではありません。その担当の人というのは、いろいろな戦場地域を熟知している百戦錬磨の人とか、数多くの国際機関を渡り歩いたというような人ではないということです。官邸で担当を務めているだけで、そのような人に無理やり、「お前が担当なんだから頑張って何か成功させろ」とやらせるのは、本当にいいことなのかはわかりません。私は頑張ってほしいなと思いますけれども、無理にウクライナに人を送り込んで迷惑をかけなければいいので、そこをボトムラインにしてもらいたいと思います。

他のＥＵ諸国は地理的にウクライナに近いから、人を送り込めているわけです。情報も徹底的に秘匿しながら、政府の首脳をある瞬間にキーウに送り付けて現わせられるわけです。同じように日本人ができるのかというと、私はかなり不安に感じます。なぜ、ＪＩＣＡなどもウクライナに行けないのかというと、ＪＩＣＡは事実上、日本政府の外郭団体でありますから、少なくともＪＩＣＡの決定のみで行けるという問題ではないと思います。外務省の領事局の局長決済ではなく、官邸からの一声のような相当高い次元から行かないと無理ということだと思います。

例えば、国際機関で働いていて、ウクライナ領内にいる私の知り合いの日本人だけでも四人ぐらいいますが、全員、自分の存在を隠しています。なぜ隠すのかというと、外務省から「早くウクライナから退避してください」という電話がかかってくるからです。外務省の担当者も官僚主義でやっているだけですから、声を荒げるわけではなく、電話をしないと自分のクビが飛んでしまうという理由で、淡々と仕事をしています。

少し話がそれましたが、ウクライナ領内で働いている日本人で「自分の存在を際立たせたい」という、インセンティブは全くないですね。ですので、そのような文化とか仕組みを変えていかないといけない。首相が一声かけると変わるのかなとも思いますけれども、岸田首相では、首相自身が持ちこたえられるのかな、みたいなところがあります。複雑な感情を抱いているため、ここまでの話は、ややウェットでだらだらと喋ってしまいました。

岡部　一言だけよろしいでしょうか。ですので、二〇二三年五月開催のG７広島サミットのときに、こちらの標語『それは日本だ！』にありますように、ウクライナのクリミア半島と日本の北方領土の主権を、それぞれ主張することが大事ではないかと考えております。これは共闘という意味でも、かなり存在感を示せるのではないかと考えております。

江崎　今日のお話にもありますように、中国もアメリカもそれ以外の国も、それぞれが多元的なレベルで、ウクライナの紛争の中で国益を広げるための戦いをやっているわけです。そういう発想やアプローチ自体が日本側には弱いというのが、篠田先生のお話だと思います。これは本当に悔しい状況です。

北方領土の主権を主張するロシア語表記の標語「それは日本だ!」

ただ一方でアメリカも内向きの状況となってきています。アメリカも同盟国の力がなければ、どうにもならないところまで追い込まれてきているわけです。そこに日本が付け込む余地が山ほどあるような気がします。この辺りの日本が付け込む余地がどのようにあるのか。その辺りのお話を篠田先生、もう一度お話いただいてよろしいでしょうか。そのうえで他の先生方にも、日本がどのように付け込んでいけばいいのか意見をいただきたいと思います。

篠田

ご指摘のように、現在は安保三文書を閣議決定し、防衛費を二倍にしようと日本政府は動いています。日本の財閥系の企業が自衛隊への弾薬供給を行い、自衛隊の施設を作り替えたりするとは思いますが、アメリカからも兵器を買うことになっています。アメリカとしても、日本がアメリカ製の兵器を購入して自国経済を支えてほしいという面がありま す。「中国が儲かるよりは、アメリカが儲かった方がいいのではないか」という考え方もありますが、できればアメリカと協調して、日本が持っていない兵器について、日本では生産が追い付かないものでもアメリカと共同で生産した方が良い。アメリカから買うのも仕方がないですけれども、多少は日本の経済、軍事産業に何かしらの刺激を与える必要がある。さすがに防衛費を二倍にしたのにアメリカから全部買い取るだけでは、ちょっと主権国家として、あまりにも先行きがなさすぎます。

しかし、アメリカと競争をして全ての兵器を同じ水準にするのは夢物語なのであり得ません。ですので、「ここの特定分野は日本も結構いいものを持っている」みたいに、日本の強みとなる特定分野を作れるかどうかが大事になります。防衛費を二倍にするという予算を作ったので、しっかりと見極めて優先投資をして特定分野を育てていけるかどうか。かなり職人的な技が試される場面だと思いますが、簡単ではありませんので本当にできると考えている人は少ない状況ではないでしょうか。

先ほどのキーウの話ですが、もう少し政治的な見通しを立てるためには、ハッキリ言ってしまえば、ウクライナに外交官や治安関係の人をいっぱい送り込まなければ駄目です。現場感覚のある人を送り込むのです。そして、ウクライナやＮＡＴＯ構成諸国に友達をいっぱい持っている人とか、日本にいても絶えずウクライナやＮＡＴＯ構成諸国と交信をして、全部の情報をわかっているような人を、平時から百人や二百人は作っていなければいけない。急に首相をウクライナに飛ばそうとしても無理です。絶対にいないと言えるわけではありませんが、日本にはあまりにも人材が少なすぎる。

私は、自分のことも含め変なところに行ってもあまり口外しません。なぜかというと、仕事をまだ続けたいですし、面倒くさいことに巻き込まれるためです。ただ、そういう変なところに行くと、怪しいアメリカ人とかイギリス人とかがいっぱいウロウロしています。日本語でいうとフィクサーみたいな人たちです。本人はコンサルタントとか言いながら、何かよくわからない仕事をしていて、やけに物知りだったりします。そういう怪しい人間が世界的には大勢いるのです。こういう人間が突然、国務省に雇われたりして、実は元軍人であったりすることが多いのです。いろいろな触覚を持ちながら情報を絶えず入れて、政府の中枢機関とかに情報を血液のようにパイプラインで流していきながら、いろいろな政策立案につなげていくわけです。こういう人間によって作り上げられる基礎体力というものを、日本は戦後七十年間が経過していくうちに失ってしまいました。今の日本には、ここら辺を地道に作り上げていく人間が必要です。外交安全保障の世界の際どいところを渡り歩いている、アメリカ人やイギリス人の友達を持っている人間を一人でも多く作ることと、その人たちを官邸や外務省と常に結び付けておくことが大事になります。

しかし、声が大きくなって恐縮ですが、日本には外交安全保障に関して重要な人材を作りたいという意欲すらありません。意欲がなければ人は作れません。ですので、何とか意欲を持っていただく、きっかけになればと心の底から思っています。

江崎　二〇二二年十二月に安保三文書が閣議決定し、国家安全保障戦略が確定して今後十年間の外交や防衛などの方針が示されました。実は安保三文書の原案は、自民党の安全保障調査会（小野寺五典会長）が国家安全保障戦略に関して出した二〇二二年四月のレポートでした。原案となったレポートには記載されていたのですが、安保三文書には記載されなかったものがいくつかあります。そのうちの一つが「国家情報局」です。

篠田先生がお話くださったように、世界各地に人を送り込み情報収集をしていくヒューミント（人を介して行う諜報活動）は重要です。または世界各地に我々の仲間を作り、各国の内情を調査していく日本版のＣＩＡ（アメリカの対外情報機関）のような組織を作る。これらの提言がレポートに書かれていたのですが、安保三文書では見送られたのです。二〇二二年の年末に政治家の方と話をしていたのですが、「やはり現場がわかる人がいないとまずいよね」ということを思っている政治家は結構いました。だから今回の岸田首相がウクライナに行くのか行かないのかという問題について、「その前に観戦武官を自衛隊からウクライナに送るべきだよね」という話があり、いま現場で何が起きているのか、情報を収集している人を増やさないことには対応ができないのです。二〇二一年八月、アフガニスタンのアシュラフ・ガニ政権が崩壊し、武装勢力組織タリバンが全土を掌握する状況で世界各国は自国民や現地スタッフをアフガニスタンから退避させました。そのときに日本は、現場でオペレーションができる人が少なすぎる問題が発生していました。

この辺りの日本の課題について対応をしていくと言ったら、ＮＡＴＯ側は喜んで受け入れてくれる気がするのですが、小野先生、いかがでしょうか。

小野

ありがとうございます。凄いタイミングで話が来たなという感じですが、現状の日本では難しいと思います。篠田先生にお話していただいた通りなんですが、例えばウクライナ問題や台湾問題があるといったときに、予算があったとしても日本の政策は一過性であることが問題です。情報を収集する人材を十年に一回、百人送りこむみたいな政策で終わらせてしまう。毎年一人でもいいので送り続けるみたいなことが全くできていません。

そして、ちょっと長い話になって恐縮ですが、一九九三年にオスロ合意というものが行われました。イスラエルとパレスチナが、ノルウェーの外相の仲介で成立した歴史的な和解です。イスラエルのイツハク・ラビン首相とヤーセル・アラファトＰＬＯ（パレスチナ解放機構）議長が握手をして、その仲介を担ったノルウェーの三者には共通点がありました。

イスラエル労働党とパレスチナのＰＬＯ、当時のノルウェーの労働党政権は、社会主義インターナショナルという国際組織に加盟をしておりました。三者は非公式な裏折衝を重ね、その結果がオスロ合意につながり、アメリカのビル・クリントン大統領のいるホワイトハウスにて「パレスチナ暫定自治に関する原則宣言」が調印されました。

このオスロ合意に至る政治活動を下支えしていたのがノルウェー労働党の議員や職員、あるいは党員でした。このような人たちは、若いころから政治活動の下支えをするような訓練を積んでいます。例えば政党などは、下部組織の青年部などでサマーキャンプを実施したり、そういうことをずっとやってきています。

このようなことを、なぜ知っているのかというと、私が民主社会主義者だからです。私は民社党という政党に参加をしていました。自民党よりも右派の政党でした。民社党にいた時代に、ノルウェー労働党の若手の人たちを紹介されて、その人に「何をやっているの？」と質問をしたら、「Member of Parliament」と返答されました。相手は当時、二五～二六歳ぐらいの同年代の学生でしたけれども、「Member of Parliament って、国会議員？」と聞いたら、「その通りです」と答えました。「どうして国会議員ができるの？」と聞くと、「比例代表だから。党員が比例代表で当選をしていくからできるんだよ」みたいなことを言われました。

そういう若手のころから政治活動の訓練を積んでいるなら話は別ですが、予算が無くて、人もいない日本でどうしてできるのですか、という話になってしまうので望み薄かなと現状では思います。

江崎　北欧で行われている若者の政治活動の仕組みなどが、日本では知られなさ過ぎていま
す。民社党はやっていましたが、自民党に同じようにやれと言ってもなかなかやりませ
ん。政党シンクタンクを運営して若者の政治活動を推進していくのは、普通の政党のやる
べきことです。日本では自民党だけが官僚をシンクタンクのように使っていますが、世界
標準の政党の機能は持っていないわけです。

小野　今お話しした事柄を、立憲民主党に所属している渡辺周衆議院議員のお父様、渡辺朗先
生（元衆議院議員、元沼津市長）が民社党の衆議院議員時代に責任者としてやっていまし
た。ですので、渡辺周先生は知っているかと思います。

江崎　自民党の政務調査会の中にも旧民社党系の人たちがいて、その人たちは政党シンクタン

クの必要性や、世界の国々の人たちと連携をして情報分析ができる人的ネットワークの構築を考えています。この辺りを外務省や防衛省の人たちと連携をしながら進めていくのが、救国シンクタンクの大きな役割です。

僕が永田町でずっと仕事をしていたとき、政党シンクタンクの話をしてもなかなか理解をしてもらえる人がいませんでした。そんなあるとき、議員会館の勉強会で某先生にお会いしました。その先生は僕よりも数段シンクタンクのことを考えていました。倉山満というのですが(笑)。僕はその後、倉山先生とお付き合いをするようになりました。倉山先生、改めて救国シンクタンクとは何なのか、シンクタンクのあり方も含めてお話いただけますでしょうか。

倉山

いろいろな要素がありますが、今の話の流れでいうと、政治は政治家だけに任せておく話ではないということです。国民は自分の運命を自分で決めましょう。自分の生殺与奪の権を政治家に任せてはいけません。ましてや、官僚をシンクタンクにしている政治家に政治を任せていたら、何をされるのかわかりません。日本はたまたま、日本人が善良で、政治家も官僚も極端に悪いことをする人たちではないので上手くいっていますが、それは上手くいっている流れのときだから良かったのです。その状態で、今後の日本は地球上の文明国として生き残れるのかと考えると、いろいろな課題が見えてきます。

政治家には本来の仕事である政治をやってほしいのだけれども選挙が忙しすぎます。選挙は無ければ困りますが、現実の行政権力を握っている官僚に対抗できる政治家を育てる必要もあります。ですので、政治家が選挙の片手間に官僚に対抗できるようになるために、シンクタンクが絶対に必要になるのです。

そのようなシンクタンクが必要かなと思い、二〇二〇年に救国シンクタンクを立ち上げました。立ち上げの最初に江崎先生と渡瀬先生にお声がけをして、一年毎に中川先生、それから経済学者の柿埜真吾先生に参加をお願いして、徐々に徐々にやってきました。まだまだ遅々としているかなと思いつつも、微力は無力ではないかなと思ってきています。救国シンクタンクをここまでやってきた意義の説明になります。

江崎先生、そろそろ登壇者同士のクロストークはいかがでしょうか。

登壇者によるクロストーク（ウクライナ・フィクサー・義勇兵）

江崎　それでは登壇者の皆さん、クロストークをよろしくお願いします。

倉山　それでは、私から岡部先生にお聞きしたいことがあります。二〇二二年七月六日の救国シンクタンクの情勢分析研究会に外部講師としてお越しいただきました。研究会では、ウクライナにおける日本のプレゼンスについてお話がありましたが、そのときの質問を改めてさせていただきます。

二〇一九年のウクライナの大統領に当選したゼレンスキー氏の俳優時代の出世作と言えば、二〇一五年から二〇一九年にウクライナで放送された政治コメディドラマ『国民の僕（しもべ）』です。ゼレンスキー氏が演じる高校教師がある日突然、大統領になってしまうというドラマで、現実のゼレンスキー氏もドラマのように大統領になってしまうわけです。今のゼレンスキー政権にも、当時の芸能プロダクションの人たちが関わっているお話を岡部先生から研究会でお聞きしました。そのときにも質問をしたのですが、『国民の僕（しもべ）』の内容は、俳優の木村拓哉さんが出演した二〇〇八年放送のドラマ

『CHANGE』と全くストーリーが一緒ではないかと質問をしました。小学校の教師である主人公が総理大臣になるストーリーで『国民の僕（しもべ）』は、『CHANGE』のパクリではないかとお聞きしたのですが、その後の調査結果はいかがでしょうか。（笑）

岡部

すみません。確かに聞かれましたね。ちょっと調査はしておりませんけれども非常によく似ています。日本ではドラマのストーリー上で木村拓哉さんが日本の首相になりましたが、ウクライナでは現実にゼレンスキー大統領が誕生してしまったんですね。これも一つの新しい政治のスタイルだなと思いました。

そして、もう一つお話にあった通りに、ゼレンスキー政権には芸能プロダクションのスタッフが入っていました。ですが、今はアンドリー・イェルマーク大統領府長官以外は半分いなくなりました。二〇二三年一月には、キリロ・ティモシェンコ大統領府副長官が辞任しています。汚職の嫌疑などで人がだいぶ入れ替わっていますが、正直にいうとよくあることです。BSニュースに呼ばれて一時間ほど、慶應義塾大学総合政策学部教授の廣瀬陽子先生とお話をしました。戦争中のウクライナで、政権中枢の人事の入れ替えが頻繁に起きていて大丈夫なのかと思う方が日本には多いと思いますが、ウクライナ政治のウォッチャーから言わせていただくと、このような事態は日常茶飯事です。あまりおかしくないので、この状況も含めてウクライナだなと見ています。そんな状況で強大なロシアに対抗しているので、よくやっているなと感じております。

倉山

こういう何気ない軽い話も含めて、深いところを研究して情報交換をし合っているのが救国シンクタンクという組織です。

江崎

では次は中川先生、どなたかに御質問をどうぞ。

中川

はい、そうですね。せっかくなので、EUがチャイナについてどう見てるのかをお聞きいたします。昨今、アメリカは急旋回をするようにチャイナに対して厳しい姿勢を取ることが多くなったと思います。小野先生にお伺いしたいのですが、先ほどもお話されたようにＥＵ構成諸国の思惑は国によってそれぞればらばらですよね。そういう意味だと、アメリカよりはＥＵ構成諸国の反中への立ち上がりは遅いと思いますが、今後のトレンドとしては当然その方向に向かっていくのでしょうか？

そしてもう一つお聞きしますが、どのくらいのスピード感で中国に対する姿勢の変化が起きるのか。アメリカぐらいの急旋回があるのかをお聞きしたいのですが、いかがでしょうか

小野

ありがとうございます。ＥＵの意思決定は加盟している二十七カ国の全会一致が原則ですので、アメリカほどのスピード感は全くありません。ですが、いわゆる日本版の独占禁止法ではないのですが、資本の比率から見て中国資本が多い場合などは問題ではないかという形で、ＥＵが調査に入るということをやっています。中国やロシアの外資による投資を苦々しく思っているのは間違いないでしょう。

ただし、ＥＵ加盟国の全会一致が必要なところで、先ほどお話したハンガリーなどは中

国やロシアと濃密な関係があるため反対をしてしまう。という世界ですので、スピード感は無いというところです。

江崎

続いて渡瀬先生。クロストークで質問はありますでしょうか。

渡瀬

先ほどの篠田先生のお話を聞いていて凄く興味を持ったのが、怪しげなコンサルタントやフィクサーのお話です。僕はフィクサーの卵として頑張ろうかなと思っています。そこで、篠田先生からは具体的にお会いした人たち、「こんな人がいました」というのを、もう少し教えていただけると面白いなと思っております。

篠田

相手方のことはわからないですよ。相手の経歴書とかを私が取り上げるつもりもないので。それでも何となくいるんですよ。今までで一番多かったのは、アフガニスタンに行ったことがある人です。イラクに行った男もいて、四十歳ぐらいで悪いことをしているのか良いことをしているのかわかりませんでしたが。

私がよく会ったりするのは、何となくPKOの訓練センターに出入りしていたり、そこに張り付いていて、特に何もしてなさそうな人です。話をしてみると、アフリカの政権内について詳しく知っていたり、友達も大勢いるような話をしてくる。この男は、形式的にはPKO訓練センターの訓練生を助ける役割になっているはずなのに、本当に助けているのかと思いました。大体、元軍人みたいなのが多いですね。

先ほど、ウクライナに人を送るという話の中で、武官として自衛隊を送るという話がありました。武官の使い方は凄く重要で予算を付けるのも大事だと思いますが、さらなる応用問題があります。それは早期退職する自衛官の扱いです。自衛隊は若年定年制を採用しているため基本的には五十代で定年退職していきます。五十代で第二の人生を自衛官の皆さんは送り始めますが、四十歳ぐらいで早期退職していただいて、今までの給料の二倍から三倍ぐらいのお金でどこかの契約業務に入って、いろいろと面白い調査をしてくるみたいな、そういう業務を早期退職後の第二の人生でパターン化すると、面白がってくれる自衛官さんはいると思います。

武官は情報を集めるといっても、やはり制服を着ているために、いろいろな仕事やセレモニーへの参加などの付き合いがあります。政府公式の場で情報を収集するには武官がいないといけません。武官の役割は重要なのですが、逆にいうと武官だからこそ立ち入りにくい場所もいっぱいあると思います。そのような場所に元武官ぐらいの人たち、あるいは武官にはならずに、ちょっと違うルートから情報収集を仕事とする自衛官を雇ってあげる。公式のルートだけではなく、緩やかなルートから情報を得られると一番良いのです。フィクサーのような存在。何をしているのかわからないのが一番のポイントです。なぜかいろいろと知っている人というのが大切です。

ロシアのウクライナ侵攻後に義勇兵としてウクライナ軍に参加をしている方々が、SNSで凄く情報発信をされていますが、明らかに元自衛官の方もいますよね。数名の方が志願してウクライナ軍に入られて戦っています。私は見ているだけで詳細は知りませんが、彼らはSNS上で親露派の人に目を付けられて言い争いをしています。戦場で戦いながらSNS上でも戦うというのは荷が重い上に摩耗してしまい、もったいないと思います。お茶の間から訳の分からないことをSNSに投稿をして攻撃をしてくる相手と、戦場でロシア軍と本当に戦いながらSNSでも言い争いをしている。何カ月もやるのは無理ですから早くお休みになられた方がいいと思います。

そして、戦場で戦う元自衛官の人たちを、このままにしているのはもったいない。ウクライナ軍に人脈を作っている元自衛官の人たちに、日本政府が何かコンサルタントなどの仕事を用意してあげる方が良いです。表向きに何か問題があるようでしたら別に外交官にしなくてもいいのですが、何かしらの業務で雇って、「引き続きウクライナ領内で情報を集めてくれないか」という役割を担ってもらう格好の人材なんですよね。実際の日本政府は、「どうやってパスポートを取り上げようか」みたいな非生産的な話をしていて本当に残念です。

岡部

私も言いたいことが沢山あります。日本は表の世界のことについては得意ですが、「ハイブリッド」と呼ばれるものは不得意です。二〇二〇年からコロナ禍が始まって、多くの大学はオンライン授業を始めました。ですが、オンラインで授業をやれと言われても、できる人はなかなかいませんでした。日本はこういった意味での「ハイブリッド」も不得意ですし、外交に関して、表の外交は得意でも裏の外交は苦手と言えます。外交の裏のラインで働く人を有難がる必要があるのに、なぜか鼻つまみ者のように扱ったりしてしまう。

そういうのは、やはり良くないのではないかと思っております。

登壇者によるフォーラムまとめ

江崎

そろそろ登壇者の先生方にフォーラムのまとめをお聞きしたいと思います。

それでは、渡瀬先生よろしくお願いいたします。

渡瀬

今回フィクサーの話がありましたが、その話題に関連したお話をしたいと思います。

僕は昔、代議士の事務所の知り合いから紹介されて、アメリカの共和党の選挙に関する学校に入りました。アメリカでは、選挙の運動員の最末端みたいなところからスタートして、共和党の保守派の人たちと仲良くなっていきました。

最近はマイク・ペンス元副大統領の『So Help Me God』という著書の翻訳権を貰って

きました。「日本で翻訳本を出していいよ」という話で、翻訳本を日本で出版することができれば、ペンス元副大統領との人脈がガッチリと組めるわけです。ですが、当然ながら日本の外務省は翻訳本の出版に関して一円も出してはくれません。全て僕の自腹でやっていることです。なおかつ、僕が共和党の人たちと理念的なつながりがあるから、向こうの人たちは何かあったらタダでやってくれています。本来はワシントンD.C.でコンサルタントを雇おうとした場合、要はロビイストみたいな人を雇うとすると月額百万円は必要です。アメリカの人からしたら「月額百万円では少ない。少し情報を教えるだけだ」みたいな感じだと思います。それでも数百万円あれば、結構情報を取れるのではないかと思いますが、どこから資金調達をするのかが問題になるわけです。僕は金融機関の人たちに「アメリカの選挙はこうなりますよ」みたいな話をして資金調達をしていますが、日本の外務省は僕の情報に対して、一円たりともくれたことはないですよ。

少し別の話になってしまうのですが、もう一つ別の事例をお話しします。

ワシントンD.C.には、アトラスネットワークという世界八十カ国以上の自由主義者、経済系の人たちをつなぐネットワークを持つシンクタンクがあります。当然ながらアジアにもアトラスネットワークと提携しているシンクタンクはあります。全世界の情報がアトラスネットワークに集まるようになっているのですが、実は日本には提携先がありませんでした。そこで二〇二〇年十月、救国シンクタンクを紹介して、アトラスネットワーク副代表のトム・G・パルマー博士にメッセージ動画をいただきました。

そのような感じで、アトラスネットワークの人たちとつながり、世界中の情報を仕入れるようにしました。すると、僕のところに「国際会議に出席しろ」という連絡が来るのですが、アジア地域のネットワークを取りまとめているのは、スリランカ人の若い男性です。「インド人と組んでアジア地域の取りまとめは、スリランカとインドで頑張ります」みたいな形で情報の共有をやっているのですが、日本人でそういうことに興味を示す人がいないため、主導権を取られてしまっているのが現状です。

そして、今回のフォーラム当日に僕はカンボジアから帰国しました。日本でいうと東京大学のような存在のカンボジアの王立プノンペン大学の、日本語学科棟の増設工事の着工式に出席してきました。四年制で六百人ぐらいの生徒に日本語教育をしている学科棟があります。今の学科棟は三階建てなんですけど、寄付金を集めて四階建てにする工事の着工式の帰りになります。

この日本語学科棟の横には、日本の外務省が二〇〇四年に建てたCJCC（カンボジア日本人材開発センター）という建物があります。ＣＪＣＣの施設を利用しようとするとレンタル料が取られる仕組みになっています。しかも日本国内と同じぐらいのレンタル料を取るため、カンボジアの学生はＣＪＣＣの施設を使えていません。だから、民間が建てた日本語学科棟の増設をするという話になっているのです。外務省の予算の無駄遣いは甚だしいと言えます。

外国で日本語を学んでいる人は、完全に日本にコミットしているわけですから、そういう人材を全世界で育てていくべきだと思っています。そういうところの強化を私的に取り組んでいこうかなと思っています。よく倉山先生がおっしゃる「どうなるかよりもどうするか」という話ですね。僕もカンボジアにタダで入っているわけではなくて、先ほど篠田先生がお話されていたような、怪しいフィクサーの卵として今後とも頑張りたいなと思っておりますので、よろしくお願いします。「どうなるかよりもどうするか」という倉山先生の標語で、お話を締めさせてもらいました。

江崎
怪しいフィクサー、いい言葉ですね。実は小野先生も怪しいフィクサーのような人で、若いころからハンガリーの研究を中心にいろいろとやってらっしゃいます。今は大学の先生をやっておられますが、小野先生、今日のフォーラムに参加してのご感想を一言いただけますか。

小野

怪しいフィクサーの一人です。救国シンクタンクなどを見ていると「bureaucracy」か「un bureaucracy」という、「官僚」と「非官僚」かみたいな構図が見えてきます。EUはまさにそのような状況です。EUの本部はベルギーのブリュッセルにあるのですが、「ブリュッセルの官僚ども」という言い方がよくされています。イギリスが二〇二〇年十二月三十一日をもってEUから離脱しましたが、事の発端はここにあります。「イギリスがEU離脱を決めた原因は、シリアなどから移民が押し寄せて〜」などというのは誤解です。シリアの難民はほとんどイギリスに入っていません。

EUの歴史の中では、「ブリュッセルの官僚が大嫌いな勢力」「ドイツが嫌いな勢力」「ドイツ」の三つの構図があります。このようにEUはバラバラなんですけれども、だんだん収斂されているところもあります。

以上です。ありがとうございます。

江崎
ありがとうございます。同じく、怪しいフィクサーとして活躍をいただいている中川先生から一言お願いします。

中川
北京大学で博士号を取っている時点で怪しいフィクサーでしかないのですが（笑）。それはともかく、チャイナはそういう意味で、怪しいフィクサーを公的に製造するシステムがあります。「統一戦線工作部」という組織がありまして「統戦部」と言います。抗日民族統一戦線のころからの組織になりますが、オフィシャルに共産党の中にあります。国家の組織ではありません。どういうことをやるのかというと、共産党外の有識者とコンタクトを取りながら、そこの人たちを活用していくのです。つまり、フィクサーを組織が活用するための、れっきとしたシステムがあるわけです。
一方で民間のチャイナ企業はどうしているのかというと、先ほど渡瀬先生がファーウェイの話がありましたが、「上に政策あれば下に対策あり」というグレーゾーンで生きています。「お上がすることは、どうなるのかわからない。時の権力者の胸三寸だ」ということで、民間企業はコンプライアンスとか法律という話ではなくて、「自分たちが、時の権力構造にあわせてどう生き残るのか」と考えています。だから、チャイナ企業ほどチャイナリスクをよく考えているわけです。そういう意味では、人材はオフィシャルで雇うだけではなくて、いろいろなところから優秀な人や政治力のある人を引っ張ってくればいい。日本の「天下り」を強化したようなもので、官も民も関係なく怪しいフィクサーを使ってなんぼ、という感じです。

我々はコンプライアンスや法律を守らないといけませんが、チャイナは国家も企業も、使えるものは何でも使うというしたたかさです。我々はどう戦っていくのか。なかなか難しい戦いですが、しっかりと対峙していかなければいけないと思いました。

江崎

ありがとうございます。今日のフォーラムのテーマである「ハイブリットストラグル」の現場は、怪しいフィクサーの人たちの戦いです。やはり、外交安全保障というと政府や外務省、防衛省のことばかりが話になります。ですが、実際は学者や民間問わず、様々な人たちが世界各国の中で蠢き合いながら、それぞれの国益を背負って戦っているわけです。そういう機能が日本は本当に弱かったわけですが、しっかりと作り上げていこうと倉山先生が決断されて、救国シンクタンクがこういう形で出来たわけです。

今日のフォーラムのお話は、「ハイブリットストラグルのプレーヤーに救国シンクタンクがなっていきましょう」ということだと思います。それを取りまとめるご苦労は大きいと思いますが、倉山先生、最後の取りまとめのご挨拶をいただけますでしょうか。

倉山

一言でいうと「したたかな個人になりましょう」ということになります。「救国のために、どうすればいいですか」と聞いてくれる人はいるのですが、本当にやるとなったら大変なんですよね。私はずっと言い続けてきましたが、本当に救国をしていこうと思ったら、近所の町内会を変えるだけでも大変なことです。一人では難しいなら、みんなで集まればできるのではないか。どうやってやればいいのかということを、シンクをタンクしている場所を作ればいいじゃないかと考えて、ずっと活動をしてきました。救国シンクタンクをここまでやってきましたが、会員の皆様は救国シンクタンクにある知見を利用して、したたかな個人になっていただければ、それは成功であり、救国につながるのではないかなと思います。地元の町内会を変える。目の前の地方自治体を変えるだけでも大変だけれども、その活動が「世界の中で日本が文明国として生きていくことにつながるんだ」という意識でやってほしいですね。

何をもって文明国・文明人なのか。それはみんなで議論をしながら考えていくことが大事です。「これが文明国だ」というような答えを押し付けるシンクタンクではないようにしていこうと思っています。ですが、自分の自由を政治家や官僚に差し出して、その状況で喜んでいれば文明人と言えるのか。自由人と言えるのか。ということは問いかけたいなと思います。

最後の一言として、「したたかな個人」になっていただきたいなと思います。

江崎

ありがとうございます。本当にご登壇をいただいた先生方ありがとうございました。救国シンクタンクがこのような活動ができますのは、会員の皆様のおかげでございます。これからも私たちの活動に、ご理解ご支援をいただけますようにお願いをして閉会とさせていただきます。本日は本当にご来場ありがとうございました。

篠田英朗
東京外国語大学大学院総合国際学研究院教授
一九六八年神奈川県生まれ。早稲田大学政治経済学部卒業。同大大学院政治学研究科修士課程修了。ロンドン大学ロンドン・スクール・オブ・エコノミクス・アンド・ポリティカル・サイエンス（LSE）博士課程修了、Ph.D.（国際関係学）取得。専攻は国際関係論、平和構築。

岡部芳彦
神戸学院大学経済学部教授・神戸学院大学国際交流センター所長・ウクライナ大統領付属国家行政アカデミー・ニジニノヴゴロド国立言語大学名誉教授
一九七三年兵庫県生まれ。政治・経済・文化などのウクライナ研究、日本・ウクライナ交流史が専門。ウクライナ研究会（国際ウクライナ学会日本支部）会長。日本人とウクライナ人の交流史に関する著書などを刊行。

小野義典
城西大学現代政策学部准教授
一九七二年神奈川県生まれ。神奈川大学法学部卒業。同大大学院法学研究科博士後期課程単位取得満期退学。専門は国際法、ＥＵ法、ハンガリー法。日本法政学会理事・副事務局長、日本政治法律学会理事・年報編集委員。

〈著者紹介〉
倉山満
一般社団法人救国シンクタンク理事長 所長
一九七三年香川県生まれ。憲政史研究者・皇室史学者。中央大学文学部史学科日本史学専攻単位取得満期退学。専門は日本近現代史。コンテンツ配信サービス「倉山塾」塾長。ネット放送局「チャンネルくらら」主宰。

江崎道朗
一般社団法人救国シンクタンク理事 研究員
一九六二年東京都生まれ。麗澤大学客員教授・評論家。産経新聞「正論」欄執筆メンバー。複数の国会議員の政策スタッフを経て二〇一六年から本格的に評論活動を開始。主な研究テーマは、安全保障、インテリジェンス、近現代史など。オンラインサロン「江崎塾」主宰。

渡瀬裕哉
一般社団法人救国シンクタンク理事 研究員
一九八一年東京都生まれ。国際政治アナリスト、早稲田大学招聘研究員、事業創造大学院大学国際公共政策研究所上席研究員。機関投資家・ヘッジファンドなどの投資家向けの米国政治の講師として活躍。

中川コージ
一般社団法人救国シンクタンク研究員
一九八〇年埼玉県生まれ。慶應義塾大学商学部卒業。北京大学大学院光華管理学院国際経営及び戦略管理学科 (Strategic Management) 専攻後期博士課程修了。経営学博士。中国人民大学国際事務研究所 (Institute of International Affairs) 客員研究員。

救国シンクタンク叢書
大国のハイブリッドストラグルⅡ
大国の衰退と台頭がもたらす地域紛争

2023年7月28日　初版発行

編　者　救国シンクタンク
発行者　伊藤和徳

発　行　総合教育出版 株式会社
〒171-0014
東京都豊島区池袋二丁目54番2号アーバンハウス201
電話　03-6775-9489
発　売　星雲社（共同出版社・流通責任出版社）

構成・編集　倉山工房
装丁・販売　奈良香里、山名瑞季
進行　土屋智弘
印刷・製本　株式会社シナノパブリッシングプレス

ISBN978-4-434-32397-3

◇救国シンクタンク叢書シリーズ

『自由主義の基盤としての財産権』 定価：九〇〇円＋税

【書籍紹介】
コロナ禍で私たち国民の権利が侵害されている！？憲法学者「倉山満」率いる「救国シンクタンク」がおくる“日本の未来を考える”シリーズ第１弾。世に問う真の憲法論。

―「コロナ禍だから」と好き勝手に国民の権利を制限する資格は誰にもない。―

2020年１月より日本でコロナウィルスの感染が確認されてから、２年が経過した。コロナウィルスが蔓延してから、私たちの社会生活は大きく変化した。変化した日本社会に生きる私たち国民が、コロナ禍における「日本国民の権利」について改めて考える時が来たのではないか。

『大国のハイブリッドストラグル』 定価：九〇〇円＋税

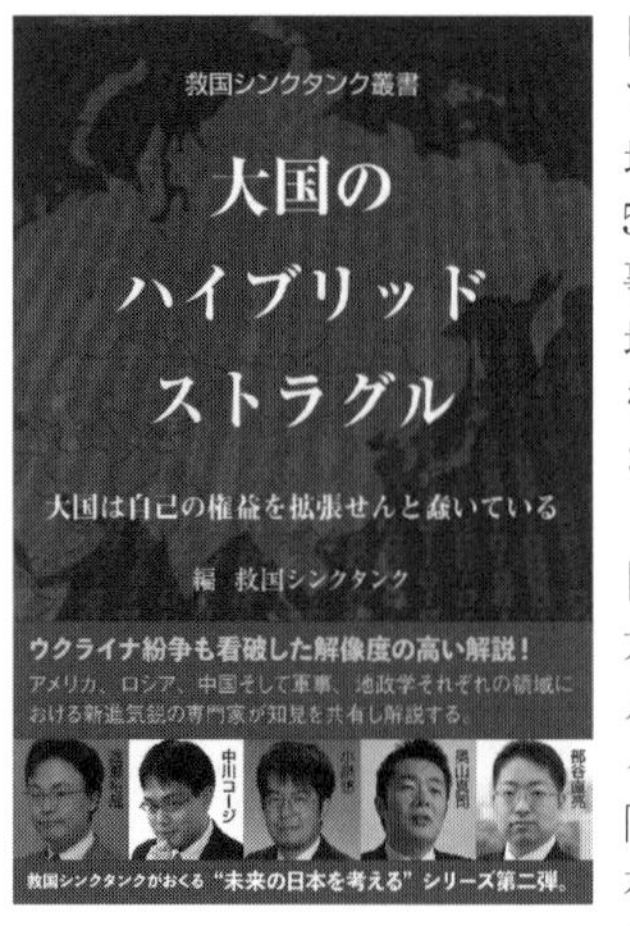

【書籍紹介】
アメリカ、中国、ロシアの３カ国および、軍事、地政学それぞれの領域における新進気鋭の専門家５名が知見を共有し解説する。小泉悠（ロシアの軍事・安全保障政策を専門）、奥山真司（欧米各国の地政学や戦略学を専門）、部谷直亮（安全保障全般を専門）、渡瀬裕哉（国際情勢分析を専門）、中川コージ（組織戦略論を専門）

【ハイブリッドストラグルとは】大国は、国内外の大衆心理煽動や法律争議の技術を活用しながら、人類が秒進分歩で発見し開拓した技術と領域でハイブリッドな仄暗いストラグルを展開している。「戦争」「冷戦」「新冷戦」などとして用いられる日本語における「戦」の概念では表現するのが困難になった現状において、本書籍では敵や味方が明確ではない「ストラグル」な国際情勢を分析していく。

◇救国シンクタンク叢書シリーズ

『なぜレジ袋は「有料化」されたのか』 定価：九〇〇円＋税

【書籍紹介】

「ほぼ毎日のペースで新たに増加する規制は、日本経済に目に見えないコストを課しています。それらの累計額は計り知れない規模になっていますが、日本政府はその全容を把握することなく、今日も制御基盤が壊れたマシーンのように新たな規制を作り続けています」。本書はそのような規制のうち、誰もが知っている「レジ袋の有料化」という規制について取り扱う。著者である国際政治アナリスト「渡瀬裕哉」、郵便学者「内藤陽介」の両氏が「規制ができるまでのプロセスに関する知識」を公開し、逆説的に「新たな規制作りを防止」または「既存規制を葬っていくための知識」を徹底解説する。規制を作る人々にとっての武器は、規制新設防止及び規制廃止を求める人々にとっての武器にもなり得る。本稿は「規制を無くしたい人のためのマニュアル」として創刊された。

◇会員入会案内

一般社団法人〈救国シンクタンク〉では、「提言」「普及」「実現」を合言葉に民間の活力を強めるための、改革を阻害する税負担と規制を取り除く活動を行っています。

シンクタンクとして研究を通じ要路者へ提言を行い、国民への普及活動を実施し、政治において政策を実現していくことを目指しています。

救国シンクタンクは、会員の皆様のご支援で、研究、活動を実施しています。

救国シンクタンクの理念に賛同し、活動にご協力いただける方は、ご入会の手続きをお願いいたします。

《会員特典》

①貴重な情報満載のメルマガを毎日配信

研究員の知見に富んだメルマガや国内外の重要情報を整理してお届けします。

②年に数回開催する救国シンクタンクフォーラムへの参加。

③研究員によるレポート・提言をお送り致します。

お申込み、お問い合わせは救国シンクタンク公式サイトへ

https://kyuukoku.com/